Collection : “Sciences Humaines”

Juin 1989

Serge HUTIN

La Franc-Maçonnerie et la Révolution Française

EDITIONS des MARAIS
Collection Sciences Humaines
10, rue de la Délivrande
14740 Bretteville l'Orgueilleuse

1989

SOMMAIRE

LA FRANC-MAÇONNERIE ET LA REVOLUTION FRANÇAISE

PREFACE

et

INTRODUCTION

de

PATRICK RIVIERE

Bon nombre de controverses se propagent depuis des décennies au sujet des rapports existant entre la Révolution Française et la Franc-Maçonnerie ; celle-ci étant le plus souvent considérée comme l'instigatrice de cette "bourrasque révolutionnaire" qui déferla sur la France et qui déchaîna les passions, il y a tout juste deux siècles.

Il était pour le moins nécessaire, en vue de la commémoration de ce bicentenaire de la Révolution Française, que l'érudit historien (1) qu'est notre ami Serge HUTIN, s'efforçât de restituer la vérité sur ce point d'une page de notre Histoire, ô combien capitale !

A travers ces quelques textes extraits des conférences de Serge Hutin et qui sont présentés ici, le lecteur sera conduit à entrevoir peu à peu les rouages de la "petite Histoire" se profilant derrière la "grande", événementielle quant à elle !

Nul mieux qu'un F∴, historien et ésotériste de surcroît, ne pouvait aborder cette question, se gardant de tomber dans le piège sans cesse menaçant des "a priori" certes désuets, mais si séduisants...

(1) Auteur entre autres ouvrages de : "Les Francs-Maçons" (éd. du Seuil, Paris 1966).

Selon l'abbé Paul Barruel — jésuite, auteur des "Mémoires pour servir à l'Histoire du Jacobinisme" — il ne subsiste aucun doute que la Révolution Française fut directement issue d'un "complot maçonnique".

L'historien Henri Martin (en son "Histoire de France" Paris, 1860. t. XVI, p. 595) déclara quant à lui, que la Franc-Maçonnerie ne constituait pas moins que "le laboratoire" de la Révolution Française.

Ne relève-t-on pas également parmi certains documents maçonniques internes, qu'au Convent de 1920 du G∴ O∴, que le F∴ Bon affirmait : "La Société des Jacobins qui a été le grand auteur de la Révolution Française, n'était pour ainsi parler que l'aspect extérieur de la Loge maçonnique".

Les Loges de l'Ouest, réunies en Congrès à l'Orient de Nantes, le 23 Avril 1883, ne proclamaient-elles pas que : "Ce fut de 1772 à 1789 que la Maçonnerie élabora la Grande Révolution qui devait changer la face du monde. C'est alors que les Francs-Maçons vulgarisèrent les idées qu'ils avaient prises dans leurs Loges".

En 1889, pour célébrer le Centenaire, le Grand Conseil du G∴O∴ avait envoyé une circulaire à toutes les loges, dont voici le contenu essentiel : "La Maçonnerie qui prépara la Révolution de 1789 a pour devoir de continuer son œuvre".

Laissons maintenant la responsabilité des propos suivants à leur auteur ; retenons seulement sans polémiquer qu'ils reflètent la tendance opposée, soutenue par un grand nombre d'intéressés et que Marcel Déat (Directeur de "L'Oeuvre", du 20/01/1944) retranscrit ici : "... on confond les effets avec les causes : la Franc-Maçonnerie s'est développée en France (comme d'ailleurs en Angleterre et en Allemagne), dans la seconde moitié du XVIIIe siècle, parce que le climat et l'ambiance lui étaient favorables. Elle ne les a nullement créés. Même sans la Maçonnerie, et j'ajouterai sans les "philosophes", la Révolution Française aurait eu lieu, parce que les conditions sociales et économiques y poussaient irrésistiblement. D'autre part, qu'était alors la Maçonnerie ? Pas du tout un mouvement populaire, mais une confrérie de nobles et de grands bourgeois, mécontents du Roi, continuateurs de toutes les frondes et résolus à s'emparer de l'Etat. Ce sont ces classes et non le peuple, qui ont déclenché la Révolution sous sa première forme et c'est contre le Roi que les notables d'abord, les Etats Généraux ensuite, ont été réunis. Les frères mêmes du Roi étaient affiliés et la réception de Louis XVI à l'Hôtel de Ville, sous la "voûte d'acier" des épées brandies, paraît bien indiquer qu'il n'était pas tellement "profane".

Louis XVI passant sous la voûte d'acier maçonnique (Tableau du F∴ Laurens).

Selon d'autres, seuls les Philosophes pouvaient être tenus pour responsables de la Révolution. Ainsi, Henri Lebre soutînt-il cette thèse, dans les colonnes du "Cri du Peuple" 22/01/1944 en ces termes : "Au fond, il devient tous les jours plus évident que le caractère populaire que les historiens révolutionnaires et romantiques ont voulu conférer au mouvement de 1789 est, en très grande partie usurpé. Il s'est agi surtout, il s'est agi avant tout, d'une insurrection des gens de lettres et de juristes, qu'on appelait alors des "philosophes" et qui sont devenus depuis des "intellectuels". (2)

De là, à traduire "Philosophes" par "Francs-Maçons", il n'y avait pour certains, qu'un "tout petit pas", qu'ils franchirent allègrement. D'aucuns l'étaient effectivement ; songeons par exemple à Voltaire...

Cette opinion ne fut pourtant pas partagée par de nombreux historiens, tels Aulard, Mathiez, Seignobos etc...

Toutefois, n'oublions pas que le propre cousin du Roi, le Duc d'Orléans, surnommé Philippe-Egalité, n'était autre lui-même que le Grand-Maître du G∴O∴ de France.

---

(2) Selon que Pouget de Saint-André l'exprime en son ouvrage : "Les auteurs cachés de la Révolution Française" Librairie Académique Perrin, Paris, 1923, il conviendrait de voir à l'origine de la Révolution, tout aussi bien les Philosophes, que les Francs-Maçons, les Juifs, les Protestants (à cause de la Révocation de l'Edit de Nantes), ou même les puissances étrangères, notamment l'Allemagne.

Le Duc d'Orléans, en effet (jusqu'alors portant le titre de Duc de Chartres) avait été élu G.·.M.·. (1773) après le décès du Comte de Clermont survenu le 16 Juin 1771. Et l'on sait à quel point — l'Histoire en témoigne (3) — Philippe-Egalité haïssait son royal Cousin et convoîtait son trône !

Alors, le moment étant venu de s'interroger, face à un tel imbroglio d'idées, que pourrait-on dégager de cet ensemble si confus et s'efforcer d'en conclure ?

Plusieurs notions doivent intervenir ici. Tout d'abord, il convient de distinguer les différentes obédiences : le "Rite Ancien et Accepté", le "Rite Ecossais Rectifié" et le "Grand Prieuré des Gaules" ; confraternités chrétiennes (4) (dans la lignée de l'observance templière) et sommes-toutes assez conservatrices. Quant au "Grand-Orient" de France, sa ligne de conduite n'était pas aussi anti-monarchiste qu'on le supposerait de prime abord, tant s'en faut !

Encore conviendrait-il d'ajouter les positions des "Illuministes" tels Willermoz, Lavater ou Louis-Claude de St Martin, sur lesquels nous reviendrons ultérieurement, qui n'étaient pas plus intransigeants vis-à-vis de la Monarchie. Seuls, les "Illuminés de Bavière" et selon toute évidence, Cagliostro (bien qu'indirectement), auquel on pourrait encore ajouter la "Loge des Neuf Sœurs", représentaient la faction dure, à l'origine même des violents combats qui allaient se dérouler sur le territoire français et d'essence profondément anti-monarchiste.

Ce qui nous amène tout naturellement à évoquer un autre point fondamental, magistralement soulevé par Serge Hutin au cours de son étude, à savoir qu'il n'y eut pas une Révolution, mais deux : celle débutant en Juillet 1789 et celle d'Août-Septembre 1792. A la première, les Francs-Maçons

---

(3) Souvenons-nous en effet, que Philippe-Egalité vota en 1792, la mort du Roi Louis XVI, son cousin, à l'égard duquel il commettait ainsi un véritable régicide !

(4) Le célèbre Joseph de Maistre, par exemple, était Maçon et néanmoins un écrivain mystique chrétien.

participèrent activement en parfaite symbiose avec l'Idéal des Philosophes de ce "Siècle des Lumières", mais il faut retenir que celle-ci n'était pas proprement anti-monarchiste. Ne s'attendait-on pas d'ailleurs à ce que le Monarque devienne un "Despote éclairé" !

A la seconde, les Loges particulièrement agissantes avaient été infiltrées, voire "noyautées" par les subversifs "Illuminés de Bavière", anticléricaux et anti-monarchistes. A cet égard, Viatte n'avait-il pas écrit : "Ce sont les illuminés bavarois unis à certaines loges rationalistes de France qui ont tramé la conspiration à laquelle il semblerait que ni la Monarchie, ni l'Eglise ne pourraient échapper". Nous reviendrons plus loin sur l'origine et le dessein de cette "société secrète" para-maçonnique.

★

Voici à titre de témoignage, ce qu'écrivait le F∴ Louis Blanc, tentant d'expliquer les causes de la Révolution Française :

« *Une association composée d'hommes de tout pays, de toute religion, de tout sang, liés entre eux par des conventions symboliques, engagés, sous la foi du serment, à garder d'une manière inviolable le secret de leur existence intérieure, soumis à des épreuves lugubres, s'occupant de fantastiques cérémonies, mais pratiquant d'ailleurs la bienfaisance et se tenant pour égaux, bien que répartis en trois classes, apprentis, compagnons et maîtres, c'est en cela que consiste la Franc-Maçonnerie, mystique institution que les uns rattachent aux initiations de l'Egypte, et que les autres font descendre d'une confrérie d'architectes, déjà formée au IIIe siècle.*

« *Or, à la veille de la Révolution française, la Franc-Maçonnerie se trouvait avoir pris un développement immense.*

— Répandue dans l'Europe entière, elle secondait le génie méditatif de l'Allemagne, agitait sourdement la France et présentait partout l'image d'une société fondée sur des principes contraires à ceux de la société civile.

« Dans les loges maçonniques, en effet, les prétentions de l'orgueil héréditaire étaient proscrites et les privilèges de la naissance écartés. Quand le profane, qui voulait être initié, entrait dans la chambre appelée cabinet des réflexions, il lisait, sur les murs tendus de noir et couverts d'emblèmes funéraires, cette inscription caractéristique : "Si tu tiens aux distinctions humaines, sors, on n'en connaît pas ici".

« Par le discours de l'Ordre, le récipiendaire apprenait que le but de la Franc-Maçonnerie était d'effacer les distinctions de couleur, de sang, de patrie, d'anéantir le fanatisme, d'extirper les haines nationales ; et c'était là ce qu'on exprimait sous l'allégorie d'un temple immatériel élevé au grand Architecte de l'univers par les sages des divers climats, temple auguste dont les colonnes, symbole de force et de sagesse, étaient couronnées des grenades de l'amitié. Aussi y avait-il au-dessus du trône du Président ou Vénérable un delta rayonnant au centre duquel était écrit en caractères hébraïques le nom de Jéhovah.

« Ainsi, par le seul fait des bases constitutives de son existence, la Franc-Maçonnerie tendait à décrier les institutions et les idées du monde extérieur qui l'enveloppait. Il est vrai que les institutions maçonniques portaient soumission aux lois, observation des formes et des usages admis par la société du dehors, respect aux souverains. Il est vrai encore que, réunis à table, les Maçons buvaient au Roi dans les Etats monarchiques, et au magistrat suprême dans les républiques ; mais de semblables réserves, commandées à la prudence d'une association que menaçaient tant de gouvernements ombrageux, ne suffisaient pas pour annuler les influences naturellement révolutionnaires, quoiqu'en général pacifiques, de la Franc-Maçonnerie. Ceux qui en faisaient partie continuaient bien à être, dans la société profane, riches ou pauvres, nobles ou plébéiens ; mais au sein

des Loges, temples ouverts à la pratique d'une vie suprême, riches, pauvres, nobles, plébéiens devaient se reconnaître égaux et s'appelaient Frères. — C'était une dénonciation indirecte, réelle pourtant et continue des iniquités, des misères de l'ordre social; c'était une propagande en action, une prédication vivante.

« D'un autre côté, l'ombre, le mystère, un serment terrible à prononcer, un secret à apprendre pour prix de mainte sinistre épreuve courageusement subie, un secret à garder sous peine d'être voué à l'exécration et à la mort, des signes particuliers auxquels les Frères se reconnaissaient aux deux bouts de la terre, des cérémonies qui se rapportaient à une histoire de meurtre et semblaient rouvrir des idées de vengeance, quoi de plus propre à former des conspirateurs? et comment une pareille institution, aux approches de la crise voulue par la société en travail, n'aurait-elle pas fourni des armes à l'adresse calculée des sectaires, au génie de la liberté prudente?

« Dans la Loge des Neuf-Sœurs vinrent successivement se grouper Garat, Brissot, Bailly, Camille Desmoulins, Condorcet, Champfort, Danton, Dom Gesle, Rabaud Saint-Etienne, Péthion, Fauchet. — Goupil de Préfeln et Bonneville dominèrent dans la Loge de la Bouche-de-Fer. — Sieyès fonda au Palais-Royal le club des Vingt-deux. — La loge de la Candeur devint, quand la Révolution gronda, le rendez-vous des partisans de Philippe d'Orléans, Laclos, Latouche, Sillery, et parmi eux se rencontrèrent Custine, les deux Lameth, La Fayette, etc.

« Mais la Franc-Maçonnerie, on l'a vu, n'avait pas un caractère homogène. — Les trois premiers grades admettaient toutes sortes d'opinions : au delà, la diversité des rites répondait à la diversité des systèmes, et, comme on peut en juger par les noms de Sieyès, de Condorcet, de Brissot, la philosophie des encyclopédistes et les tendances de la bourgeoisie avaient une large place dans les loges.

Il ne faut pas s'étonner si les Francs-Maçons inspirèrent une vague terreur aux gouvernements les plus soupçonneux, s'ils furent anathématisés à Rome par Clément XII, poursuivis en Espagne par l'inquisition, persécutés à Naples ; si, en France, la Sorbonne les déclara dignes des peines éternelles. — Et toutefois, grâce au mécanisme habile de l'institution, la Franc-Maçonnerie trouva dans les princes et les nobles moins d'ennemis que de protecteurs. Il plut à des souverains, au grand Frédéric, de prendre la truelle et de ceindre le tablier.

— Pourquoi non ?

L'existence des hauts grades leur étant soigneusement dérobée, ils savaient seulement de la Franc-Maçonnerie ce qu'on pouvait montrer sans péril, et ils n'avaient point à s'en inquiéter, retenus qu'ils étaient dans les grades inférieurs, où le fond des doctrines ne perçait que confusément à travers l'allégorie et où beaucoup ne voyaient qu'une occasion de divertissement, que des banquets joyeux, que des principes laissés et repris au seuil des Loges, que des formules sans application à la vie ordinaire et, en un mot, qu'une comédie de l'égalité. Mais, en ces matières, la comédie touche au drame, et il arriva, par une juste et remarquable dispensation de la Providence, que les plus orgueilleux contempteurs du peuple furent amenés à couvrir de leur nom, à servir aveuglément de leur influence les entreprises latentes dirigées contre eux-mêmes.

Cependant, parmi les princes dont nous parlons, il y en eut un envers qui la discrétion ne fut pas nécessaire, c'était le duc de Chartres, le futur ami de Danton, ce Philippe-Egalité si célèbre dans les fastes de la Révolution à laquelle il devint suspect et qui le tua. — Quoique jeune encore et livré aux étourdissements du plaisir, il sentait déjà s'agiter en lui cet esprit d'opposition qui est quelquefois la vertu des branches cadettes, souvent leur crime, toujours leur mobile et leur tourment.

— La Franc-Maçonnerie l'attira ; elle lui donnait un pouvoir à exercer sans effort ; elle promettait de le conduire le long des chemins abrités jusqu'à la domination du forum ; elle lui préparait un trône moins en vue, mais aussi moins vulgaire et moins exposé que celui de Louis XVI ; enfin, à côté du royaume

connu où la fortune avait rejeté sa maison sur le second plan, elle lui formait un empire peuplé de sujets volontaires et gardé par des soldats passifs. Il accepta donc la grande maîtrise aussitôt qu'elle lui fut offerte, et, l'année suivante, la Franc-Maçonnerie, depuis longtemps en proie à d'anarchiques rivalités, se resserra sous une direction centrale et régulière qui s'empressa de détruire l'inamovibilité des Vénérables, constitua l'ordre sur des bases entièrement démocratiques et prit le nom de Grand Orient.

Là le point central de la correspondance générale des loges, là se réunirent et résidèrent les députés des villes que le mouvement occulte embrassait ; de là partirent des instructions dont un chiffre spécial ou un langage énigmatique ne permettait pas aux regards ennemis de pénétrer le sens. — Dès ce moment, la Franc-Maçonnerie s'ouvrit jour par jour à la plupart des hommes que nous retrouverons au milieu de la mêlée révolutionnaire ».

Extrait de l'"Histoire des Sociétés Secrètes politiques et religieuses ; essai sur leur Histoire depuis les temps les plus reculés jusqu'à la Révolution Française" par le compte J.H.E. Le Couteulx de Canteleu. Paris, 1863.

Vu l'importance que revêtit cette société secrète particulièrement subversive des "Illuminés de Bavière", il nous paraît opportun de soulever le voile reposant sur cette organisation, manifestement plus nihiliste qu'authentiquement républicaine, qui mit en place la Commune insurrectionnelle de 1792 et dont le leitmotiv s'apparente fort bien à la formule utilisée par le Père Duchesne pour caractériser l'esprit de cette période : "Etrangler le dernier prêtre avec les boyaux du dernier roi" !

L'homme qui fut à l'origine des "Illuminés de Bavière" était Adam Weishaupt qui naquit à Ingolstadt en 1748. A l'âge de vingt ans, il deviendra titulaire de la chaire de droit Canon, à l'université de sa ville natale, où il souffrait particulièrement de l'impact des Jésuites, ceux-ci lui disputant sa chaire universitaire.

C'est alors qu'il fit la rencontre — si l'on en croit plusieurs témoignages autorisés — d'un certain kolmer, qui n'était autre en fait, sous le "nomen mysticum" d'Althotas, le maître supposé du comte Joseph Balsamo, alias Cagliostro qui allait fonder plus tard sa "Maçonnerie Egyptienne" où il se paraît du titre de "Grand Cophte" Kolmer aurait donc également initié Weishaupt et, profitant de son anticléricalisme manifesté par sa haine des Jésuites, lui aurait donné le moyen de constituer une véritable Société Secrète dont le seul dessein était en fait la Révolution et ce, sous toutes ses formes, ainsi que l'exprime indéniablement cette phrase extraite des notes de Weishaupt (qu'on retrouvera intégralement reproduite chez le nihiliste russe Bakounine) :

"Nous devons tout détruire, aveuglément, avec cette seule pensée : le plus possible et le plus vite possible".

Voilà qui ne laissait planer aucun doute quant aux intentions de Weishaupt... A cet égard, nul mieux que le Comte Le Couteulx de Canteleu (5) ne sut décrire le processus révolutionnaire mis en œuvre par ceux que l'on allait appeler "les Illuminés de Bavière" :

« *...Il était, du reste, parfaitement placé pour préparer d'une main invisible la Révolution qu'il méditait, et se sentait la force et l'énergie de suppléer par des leçons secrètes à celles que, comme maître, il devait donner publiquement à ses élèves, car, pour rencontrer aucun obstacle, il fallait opérer dans l'ombre.*

Il forma donc le plan d'une société secrète, dont il commença à rédiger les statuts sous le nom de société des Perfectibilistes et, plus tard, des Illuminés. — Il choisit, parmi les élèves qui suivaient son cours de droit, les plus intelligents et,

---

(5) opus déjà cité et réédité aux éd. Henri Veyrier, Paris 1987.

s'annonçant à eux comme fondateur d'une société qui devait réformer le monde, il en fit ses premiers apôtres sous le nom d'Aréopagites, leur donna ses instructions, leur traça des itinéraires et les envoya sur divers points pour propager secrètement sa doctrine. Ces missionnaires remplirent si habilement leur mandat, que, lorsqu'on ne soupçonnait pas même l'existence de l'ordre dans Ingolstadt, cinq loges étaient déjà établies en Bavière, plusieurs en Souabe, en Franconie, à Milan, en Hollande, et plus de mille adeptes étaient enrôlés ; mais Weischaupt, après avoir jeté les fondements de sa société, ne se hâta pas de l'élever, de peur de la voir crouler faute de précaution ; et durant cinq ans entiers, il médita cette marche profonde qui devait assurer la réussite de ses complots.

Combinant lentement et silencieusement cet ensemble de lois, de ruses, d'artifices et d'embûches, sur lequel il allait régler la préparation des candidats, le service des initiés, les fonctions, les droits, la conduite des chefs et la sienne même, il allait pesant tous les moyens de séduction, les compassant, les essayant successivement, tout prêt à les rejeter du moment qu'il en trouverait de meilleurs ; aussi, parmi les codes des sociétés secrètes, celui des Illuminés peut-il passer pour un chef-d'œuvre (...).

(...) L'Egalité et la Liberté sont des droits essentiels que l'homme, dans sa perfection originaire et primitive, à reçus de la nature. — La première atteinte à l'Egalité fut portée par la propriété, la première atteinte à la Liberté fut portée par les sociétés politiques et les gouvernements, et les seuls appuis de la propriété et des gouvernements étant les lois religieuses et civiles, il faut, pour rétablir l'homme dans ses droits primitifs d'Egalité et de Liberté, commencer par détruire toute religion et toute société civile et finir par l'abolition de la propriété. Les princes et les nations doivent disparaître un jour de la surface de la terre, et il doit venir un temps heureux où les hommes n'auront plus d'autre loi que celle de la nature. Cette révolution doit être l'œuvre des société secrètes, et son but doit être la base des grands Mystères.

Pour rendre infaillible une révolution quelconque, il faut éclairer les peuples, et éclairer les peuples, c'est insensiblement amener l'opinion publique au vœu des changements qui sont l'objet de cette révolution. — Pour cela, il faut dominer, insensiblement et sans apparence de moyens violents, les hommes de tout état, de toute nature, de toute religion, souffler silencieusement partout le même esprit, et son pouvoir une fois établi par la multitude et l'union des adeptes, lier les mains à tous ceux qui résistent, et subjuguer, étouffer ou écraser tout ce qui reste d'hommes que l'on n'a pu convaincre. Tel était, en peu de mots, le but de la secte des Illuminés.

Weischaupt avait d'abord ignoré ce que voulaient les Francs-Maçons ; il savait seulement qu'ils tenaient des assemblées secrètes, qu'ils étaient unis par des liens mystérieux, et qu'à certains signes ils savaient se reconnaître. Se doutant bien que cet Ordre était un moyen d'action pour certains individus, curieux de connaître leurs croyances et leur organisation, et désireux aussi probablement d'y faire des recrues pour sa secte, il se fit recevoir maçon dans la Loge Saint-Théodore de Munich.

En voyant déjà dans les premiers grades invoquer les mots de Liberté et d'Egalité, il soupçonna bien vite des mystères ultérieurs ; on lui disait bien que toute discussion politique et religieuse était bannie des loges, et que tout maçon devait rester fidèle à son prince et au christianisme, mais lui-même, dans son illuminisme, en disait autant à ses novices et à ses Minervains ; aussi savait-il à quoi s'en tenir sur ces recommandations. Il s'attacha donc un nommé Zwach, intrigant consommé, parvenu déjà aux plus hauts grades, qui lui vendit les secrets de la Maçonnerie et lui confia tous les détails qui lui avaient été données, lors de sa réception aux grades supérieurs de la Loge écossaise.

Comprenant aussitôt quel parti immense il pourrait tirer, pour ses complots, de la multitude de Francs-Maçons répandus en Europe, il donna immédiatement l'ordre à tous ses adeptes de se faire recevoir Francs-Maçons, et il résolut de leur emprunter tout ce qu'il jugeait convenable d'introduire dans sa secte. Weischaupt, maître des secrets des Francs-Maçons qui n'avaient pas les siens, fonda de suite une loge à Munich, et il touchait au moment de sceller avec les Francs-Maçons une alliance si désirée, lorsque des altercations élevées entre lui et la secte des Rose-Croix, dont il méprisait les calculs cabalistiques et toute l'obscure philosophie, le menacèrent d'une rupture qu'il n'évita que par sa liaison avec le baron de Knigge.

Cet industriel Hanovrien, malfaisant, impie et dépravé, habile et prêt à tout faire, initié par les frères de la stricte Observance dans cette loge maçonnique, où le baron de Hundt avait combiné les croyances des Templiers et des Maçons pour fonder un régime nouveau, parvenu aux plus hauts grades et instruit des secrets les plus cachés, ayant projeté lui-même une nouvelle réforme maçonnique, crut trouver dans Weischaupt un agent qui lui convenait ; ce fut le marquis de Costanza, député des Illuminés de Bavière, qui les réunit. De son côté, Weischaupt, comptant sur les services qu'il obtiendrait de son nouvel ami, en fit de suite un initié et le choisit pour l'organisation de ses classes supérieures d'Illuminés. — Ce zélé partisan lui conquit bientôt Bode, professeur de philosophie à Helmstaelt, qui devait plus tard lui succéder dans la direction suprême de l'Ordre.

Tâchons d'exposer le plus brièvement possible le code et les règlements de la secte des Illuminés, tels que les combina Weischaupt avec l'aide de Knigge.

La hiérarchie des Illuminés comprenait deux grandes classes, ayant chacune leurs sous-divisions et leurs graduations proportionnées aux progrès et aux idées des adeptes.

La première classe, celle des préparations, se sous-divisait en quatre grades : Novice, Minerval, Illuminé mineur et Illuminé majeur. — A cette même classe se rattachaient des grades intermédiaires empruntés à la Franc-Maçonnerie comme moyen de propagation ; ainsi, par exemple, le code illuminé admettait les trois premiers grades maçonniques sans altéra-

tions, puis adoptait, d'une façon plus spéciale à ses vues, le grade de Chevalier écossais ou Illuminé directeur.

La deuxième classe se divisait en petits et grands mystères. — Les petits mystères comprenaient les grades de Prêtre et de Régent ou prince, et les grands mystères ceux de Mage ou philosophe et d'homme-roi. *L'élite des derniers membres forme le grade d'Aréopagite avec lequel est formé le conseil.*

Enfin il existe dans toutes les classes et dans tous les grades un rôle important, c'est celui de Frère insinuant ou enrôleur, grade qui oblige à chercher et à embaucher des sujets pour l'Ordre et à espionner leur conduite et leur vie. Primitivement, les Princes ne devaient pas être élevés au-dessus du grade de Chevalier écossais, mais Weischaupt trouva plus tard un expédient pour les admettre aux grades supérieurs, sans les initier complètement à certaines tendances de l'Ordre. On devait initier de préférence les jeunes gens de seize à vingt-cinq ans, surtout ceux dont l'éducation n'était pas achevée, et qui, par conséquent, étaient plus aptes à recevoir de nouveaux principes ; à mérite égal, les protestants étaient préférés aux catholiques, et à chacun des grades les initiés étaient soumis à de fortes épreuves.

Dans les premiers grades, l'initié s'engageait par serment à ne rien faire de contraire à l'Etat, à la Religion et aux mœurs ; puis il étudiait le langage de l'Ordre, les premiers statuts, et s'exerçait à la connaissance des hommes, c'est-à-dire à étudier, observer, juger ses amis et tous ceux qu'il voyait, à prendre sur eux des notes qu'il envoyait aux chefs restés pour lui inconnus ; mais il ne savait pas qu'en même temps il était, de son côté, observé et étudié par son Frère insinuant qui envoyait de même toutes les notes qu'il avait prises sur lui. Enfin, et c'est ici que Weischaupt paraît plus spécialement assimiler sa secte à celle des Jésuites ; on exigeait de l'initié un abandon total de sa volonté et de son jugement, et on l'obligeait à faire lui-même, et par écrit, son portrait et à dévoiler tous ses intérêts, toutes ses relations et toutes celle de sa famille.

Pour le grade d'Illuminé majeur, il devait écrire franchement et sans dissimulation l'histoire de toute sa vie, et c'est là un de ces pièges fameux dans lequel, les Frères une fois enlacés, Weischaupt avait raison de dire : « Pour le coup, je les tiens, je les défie de nous nuire, car, s'ils veulent nous trahir, j'ai aussi leurs secrets ». *En effet, le malheureux adepte voyait bientôt que les plus petites circonstances de sa vie étaient connues, les Frères de la Loge où il allait être admis étant ceux-là mêmes qui s'étaient partagé le soin de l'observer et de le scruter depuis son entrée dans la secte, et tout ce qui avait été observé et recueilli en secret sur lui ayant été exactement remis aux Frères de la Loge. — Cette terrible confession passée, on lui apprenait alors que le but de l'Ordre était de répanre la pure vérité, de combattre la superstition, l'incrédulité et la sottise, et que, pour cela, il fallait lier les mains aux protecteurs du mal et les gouverner sans paraître les dominer.*

Pour le grade de Chevalier écossais, l'initié s'engageait faire triompher l'ancienne Maçonnerie, à n'être jamais l'esclave des Princes, à combattre pour la vertu, la liberté et la sagesse, et à résister à la superstition et au despotisme, etc. Il apprenait alors que l'Illuminisme est la religion naturelle qui avait été conservée par les sages de l'antiquité, mais que la tyrannie des Prêtres et le despotisme des Princes en ayant altéré les dogmes et ayant opprimé d'un commun accord la malheureuse humanité, la Franc-Maçonnerie avait essayé de conserver la vraie doctrine, et que ce sont les Illuminés qui sont seuls en possession des secrets du vrai Franc-Maçon.

Pour le grade de Prêtre, l'Illuminé apprenait que la famille est la seule société, que la propriété tua l'Egalité et la réunion des hommes, la Liberté ; que tout homme, dans sa majorité, peut se gouverner lui-même, et que, lorsqu'une nation est majeure, il n'est plus de raisons de la tenir en tutelle ; que la Formation des Nations et des Peuples brisa le grand lien de la nature et que le monde cessa alors d'être une grande famille, que l'amour national prit la place de l'amour général, et que du

Patriotisme naquit le Localisme, l'esprit de cité, et enfin l'égoïsme, perte du bonheur des humains.

Les Ecoles secrètes répareront un jour tous ces maux, et les Princes et les Nations disparaîtront sans violence de la Terre pour y laisser régner seule la famille.

Voilà donc déjà l'Illuminé qui, dans ses premiers grades, s'était engagé à ne rien faire contre la Religion et le gouvernement, maintenant bien clairement instruit du grand but auquel tend désormais toute l'instruction qu'il doit répandre : "apprendre aux peuples à se passer des Princes, des gouvernements et de toute loi et société civile" ; tel sera donc l'objet de ses leçons.

Quant à la Religion, on s'est contenté jusqu'alors de lui dire que la doctrine religieuse avait été altérée, maintenant on va lui apprendre : que Jésus, simple prophète, vint enseigner la doctrine de la Raison, et que, pour la rendre plus efficace, il érigea cette doctrine en Religion, en se servant des traditions des Juifs, que ses seuls préceptes étaient : l'amour de Dieu et du prochain, que personne n'a frayé à la Liberté des voies plus sûres, qu'il fut forcé de cacher le sens sublime et les suites naturelles de sa doctrine, mais qu'il avait une doctrine secrète, ainsi qu'on le voit dans les Evangiles, et que cette doctrine avait pour but de rendre aux hommes leur égalité et leur liberté originelles, et c'est ainsi que s'expliquent la doctrine du péché originel, de la chute de l'homme, et celle de Jésus libérateur du monde, etc.

Après toutes ces belles explications, l'Illuminé était sacré Prêtre et couvert de ce fameux bonnet rouge qui devait bientôt, en France, devenir celui des Jacobins.

Pour être admis au grade de Régent ou Prince Illuminé, l'initié devait faire son testament et y exprimer bien spécialement ses volontés sur les papiers secrets qui pouvaient se trouver chez lui, si la mort venait l'y surprendre. Il fallait qu'il se munît, de la part de sa famille ou du magistrat public, d'un reçu juridique de la déclaration qu'il avait faite sur cette partie de son testament, et qu'il en eût reçu par écrit la promesse que ses intentions seraient remplies.

Après une nouvelle instruction sur la Franc-Maçonnerie et les devoirs de l'Illuminé, il était alors proclamé homme libre, *et le Provincial, comme signe de cette liberté, lui rendait tout le recueil des actes qui le concernaient, tous les serments et toutes les promesses qu'il avait faites dans les admissions aux grades précédents, etc. Rien de plus habile que cette politique, car l'initié qui avait été dans les liens de la société jusqu'à ce moment, maintenant qu'il avait été éprouvé, connu et qu'il n'avait plus aucun intérêt à s'en retirer, était libre. — On ne lui demandait plus alors qu'à aider ses frères et à travailler au bonheur du genre humain.*

*Quant aux deux derniers grades de mage et d'*homme roi, *l'Illuminé, pour se perfectionner dans cette pernicieuse doctrine, apprenait que toutes les Religions sont fondées sur l'imposture et sur les chimères, que toutes finissent par rendre l'homme lâche, rampant et superstitieux, que tout, dans ce monde, est matériel, et que Dieu et le Monde ne sont qu'une même chose. — Au résumé, il arrivait tout droit à l'Athéisme.*

Tels étaient la doctrine et le code de cette dangereuse secte, qui, par l'énergie de ses chefs, le nombre de ses adeptes, allait donner une nouvelle impulsion aux idées révolutionnaires, en se réunissant aux Francs-Maçons, aux Swedenborgiens, aux Martinistes et à toutes les sectes qui couvraient alors l'Europe ».

Nous ne saurions souscrire quant à nous à l'amalgame effectué par le comte Le Couteulx de Canteleu, dans ces derniers propos concernant les différents mouvements "illuministes" (6). Il serait légitime en effet de distinguer les matérialistes athées que constituaient les "Illuminés de Bavière",

---

(6) Cf. à ce sujet "Les Illuminés" de Gérard de Nerval, notamment les chapitres concernant Cazotte, Cagliostro, Quintus Aucler...

des mouvements spiritualistes dont les préoccupations mystiques étaient aux antipodes des leurs. Joseph de Maistre avait d'ailleurs écrit à ce propos : "On donne ce nom d'"Illuminés" à ces hommes coupables qui osèrent, de nos jours, concevoir et même organiser en Allemagne, par la plus criminelle association, l'affreux projet d'éteindre, en Europe, le christianisme et la souveraineté. On donne ce même nom aux disciples vertueux de Claude de Saint-Martin, qui ne professe pas seulement le christianisme, mais qui ne travaille qu'à s'élever aux plus sublimes hauteurs de cette loi divine".

Le Grand Profès (Maçon de haut-grade du Rite Ecossais) qu'était "Eques a floribus", autrement-dit : Joseph de Maistre, avait d'ailleurs écrit à propos de L.-Cl. de St-Martin, qu'il devait être considéré comme "le plus sage, le plus instruit, le plus vertueux des théosophes".

Louis-Claude de St-Martin n'en était pas moins l'auteur d'une remarquable "Lettre sur la Révolution Française" dans laquelle il exprima sans ambages ses idées républicaines engagées, bien que modérées et emplies de sagesse. Disciple de Martinez de Pasqually (fondateur du mouvement portant son nom et des "Elus-Cohens") et grand admirateur des œuvres du mystique allemand Jacob Boëhme, il se passionnait pour la Révolution Française qu'il n'avait pas hésité à comparer à une préfiguration du Jugement Dernier ! Pour lui, les exigences du Peuple, les idées des Philosophes et la rénovation d'un Christianisme mystique ne faisaient qu'un. Ainsi, Kichberger (7), le baron de Liebisdorf, avec lequel il entretenait une correspondance suivie sur ces divers thèmes, lui adressa-t-il ces lignes : "Les révolutionnaires usurpent le nom d'illuminés, clique hideuse qui travaille à la destruction de la religion chrétienne et de tous les gouvernements ; ce sont les anarchistes et les désorganisateurs de l'Allemagne qui ont aussi leurs affiliations en France".

---

(7) Cf. l'excellente étude d'Antoine Faivre, intitulée : "Kirchberger et Illuminisme du 18e siècle". Publication du centre de recherches d'Histoire et de Philologie de la IVe section de l'Ecole Pratique des Hautes-Etudes à la Sorbonne. Cf. également le remarquable ouvrage d'A. Faivre : "L'ésotérisme au XVIIIe siècle" éd. Seghers.

Louis-Claude de St-Martin avait été convoqué au fameux Convent de Wilhemsbad organisé par J.-B. Willermoz (admirateur de Mesmer), en 1782, qui réunissait les Maçons allemands et français dans le dessein d'une réunification et d'une réorganisation de la Franc-Maçonnerie.

A ce propos, serait-il profitable au lecteur, généralement curieux de nature, d'apprendre que parallèlement au "Régime Ecossais Rectifié" (Rite du "Chevalier Bienfaisant de la Cité Sainte") constitué à Lyon en 1778, sous l'égide de Jean-Baptiste Willermoz, qui avait par ailleurs vivement repoussé les "avances fraternelles" de Cagliostro, devait se constituer un "Rite Réformé de St-Martin" (dont J.-M. Ragon et F. Favre ont reconnu implicitement l'existence) qui fut notamment pratiqué à Metz (au chapitre Saint-Théodore).

Précisons que St-Martin en était donc le détenteur lors du Convent de Wilhemsbad. Et si l'on prétend, comme c'est fréquemment l'usage, que L.-Cl, de St-Martin n'a jamais fondé en France d'organisations "martinistes" et que ce sont ses intimes (ses disciples directs) qui prirent l'initiative de constituer ces mouvements, il faut savoir toutefois — selon Matter — qu'une filiation historique russe aurait été directement assurée. En effet, St-Martin aurait lui-même initié le Prince Alexis Borosowitz Galitzine, en 1787, lors d'un voyage le menant de Suisse en Italie. Ce rite aurait été organisé ensuite par Eugène Schwartz et Nicolas Ivanovitch Novikof(f), lors du retour du Prince en Russie, dès 1788.

★

Que le lecteur nous pardonne cette digression à propos du "Philosophe Inconnu", sachant que la seule excuse que nous ayions, réside sans nul doute dans le fait que nous ne puissions concevoir qu'une "révolution intégrale de l'être", réalisée sur tous les plans de la manifestation...

A l'aube du XXIe siècle, l'Homme sait bien que la véritable Révolution demeure à opérer dans les esprits et dans les cœurs. Ne s'agissant nullement de remplacer seulement certaines institutions politiques par d'autres, une vraie Révolution s'impose : celle des idées — voire des idéaux — ainsi que celle des faits, ne négligeant nullement cependant le respect des valeurs libertaires, égalitaires et fraternelles.

L'unique but de toute révolution authentique ne consiste-t-il pas à opérer une transformation profonde de l'individu !

La Révolution intérieure s'inclue ainsi parfaitement dans le droit fil de l'évolution spriritulle de l'être, chacun se devant d'opérer en lui-même un changement radical : échanger son petit "ego" mesquin contre le Soleil spirituel, "Ego" divin, autour duquel il convient de se mouvoir et d'effectuer ainsi, la seule et vraie Révolution.

N.B. : A l'heure où nous mettons sous presse, il est à signaler l'exposition ouverte au public et consacrée aux rapports unissant la Franc-Maçonnerie à la Révolution Française, au siège du Grand-Orient, rue Cadet à Paris.

LA FRANC-MAÇONNERIE ET LA REVOLUTION FRANÇAISE

"Mythe ou Réalité ?

Evoquer les rapports, réels ou imaginés si volontiers fantastiques entre la Franc-Maçonnerie et la Révolution Française en 1989 (année de son bi-centenaire), c'est soulever immanquablement un énorme "cheval de bataille". C'est encourir le risque de réveiller points de vue bien arrêtés, convictions ferventes, engagements passionnés, même après tant d'années écoulées depuis la tourmente.

Mon but, par le présent exposé, ne serait nullement de raviver l'incendie en prenant parti pour un camp ou pour l'autre, mais bien plutôt de proposer une série de jalons successifs pour l'étude du problème, succeptibles de mener, du moins je l'espère, à une compréhension plus claire, plus objective des événements comme des hommes de ce passé si vivant encore.

L'idée qui viendrait tout de suite à l'esprit - honnie par les uns, exaltée par les autres - serait apparemment très simple : faire de l'effondrement de la Monarchie - laissant place à la Première République - le rejeton final d'une vaste, opiniâtre et ténébreuse conspiration maçonnique.

Deux livres nous viendraient tout de suite à l'esprit.

Le premier, nous l'avons tous lu une fois au cours de nos années d'adolescence : JOSEPH BALSAMO, l'un des plus célèbres romans historiques d'Alexandre Dumas père. Le héros principal du livre n'est autre que le fameux CAGLIOSTRO (dont le nom d'état-civil était Joseph Balsamo, présenté bel et bien comme le redoutable chef d'orchestre du machiavélique complot maçonnique destiné à renverser l'ancien régime.

Souvenez-vous des premières pages du roman, mélodramatiques à souhait, où Balsamo - le *Grand Cophte* - préside l'impressionnante réunion rituelle nocturne de conspirateurs masqués dans les ruines d'un château féodal.

Cagliostro donne les dernières consignes pour la mise en place d'un plan inflexible et méthodique pour la subversion de l'ancien régime.

Cagliostro n'est nullement sorti de pied en cap de la bouillonnante imagination d'Alexandre Dumas.

Son existence historique ne fait aucun doute. Qui plus est, ce ne fut point du tout le charlatant de haut vol auquel certains historiens l'assimilent encore.

Rappelons sa carrière maçonnique prestigieuse, avec la formation de son propre système de hauts grades : le RITE EGYPTIEN.

Voyez, sur Cagliostro, le si beau livre de François Ribadeau Dumas, au titre parlant : "Cagliostro homme de lumière" (Editions Philosophiques).

Il ne serait pas inutile de rappeler l'admiration profonde que Mozart nourira pour le "Grand Cophte" ; le compositeur de la *Flûte Enchantée*, comme son librettiste Schikaneder (autre maçon), s'inspireront - cela se décèlerait aisément - du Rite Egyptien de Cagliostro.

Précisons que ce système comprenait - caractéristiques à signaler - des loges masculines et des loges féminines, ayant respectivemnt à leur tête un Grand Maître et une Grande Maîtresse.

Mais qu'en est-il des convictions révolutionnaires prêtées à Cagliostro ?
Nous faudrait-il les nier purement et simplement malgré les aveux précis du "Grand Cophte", lors de son procès inquisitorial à Rome en 1791, d'appartenance à la société secrète, subversive entre toutes, des *Illuminés de Bavière ?*

Il y avait, antérieure donc aux dits aveux, cette déclaration prophétique : Cagliostro, exilé en Angleterre par ordre royal malgré son acquittement triomphal dans l'affaire du collier de la Reine, annonçant, en débarquant sur le sol anglais, qu'il souhaitait "que la Bastille devienne une place publique".

Il ne croyait pas si bien dire.

L'autre livre à rappeler serait les fameux "Mémoires pour servir à l'Histoire du Jacobinisme", écrits par le jésuite Emile Barruel, réfugié en Angleterre au moment de la Terreur.

Selon lui, tout le déchainement, d'abord feutré puis de plus en plus violent (il atteindra son paroxisme lors des massacres de septembre, puis finira même par ériger la Terreur en institution de la tourmente révolutionnaire) n'aurait qu'une seule et unique explication — laquelle ?

L'application minitieuse, programmée jusque dans ses moindres détails, d'un complot mis patiemment en place dans les loges maçonniques - plus exactement, derrière les ateliers des trois premiers degrés - au niveau des hauts grades, redoutables "arrière-loges" tirant les ficelles de la terrible et savante machination.

Que penser d'une telle idée, apparemment si claire et si précise : celle qui ferait donc de la Maçonnerie une impitoyable génératrice de la tourmente révolutionnaire, et même si les acteurs du drame n'auront pas toujours conscience du rôle à eux imparti sur l'échiquier ? Nous allons tâcher d'entrevoir la vérité.

Mais disons, d'ores et déjà, qu'une constatation décisive serait celle-ci : Barruel ne s'est pas trompé (sa documentation se révèle impressionnante) sur l'existence d'un redoutable complot subversif pour expliquer le soudain virage de la Révolution Française vers une phase de violence déchaînée.

Oui, il y eut bel et bien conspiration antimonarchique, fait d'une société secrète aux dimensions européennes mais qui saura si bien saisir en France l'occasion inespérée.

Mais il ne s'agissait pas du tout de la maçonnerie traditionnelle ; et malgré que ces Illuminés de Bavière aient bel et bien cherché — mais largement en vain — à noyauter les loges traditionnelles.

Ces *Illuminés* (dits *de Bavière* — leur fondateur, Adam Weishaupt, l'avait fondée au cœur de sa patrie germanique : le Duché de Bavière — visaient, une expansion de plus en plus européenne, avec la France comme point de départ) ; ils étaient une redoutable société secrète politique.

Elle se donnait pour but inflexible : le renversement des monarchies et de l'Eglise — pour instaurer, dans un seul pays tout d'abord puis ensuite dans les autres, un régime républicain centralisé autoritaire.

L'existence d'un gouvernement deviendrait certes inutile lorsque la raison règnerait enfin chez tous les hommes, mais il s'agissait là d'un horizon suprêmement lointain !

En attendant, il faudrait tout au contraire, pour obliger les hommes à marcher vers la perfection, une discipline de fer.

Mais Weishaupt (fondateur des Illuminés de Bavière) savait, pour le recrutement, se montrer d'une habilité extême. Sa société secrète était organisée suivant une structure pyramidale, avec superposition, par cloisons étanches, des loges des degrés successifs : les membres d'une assise supérieure de l'édifice connaissaient tous ceux des grades au dessous des leurs, mais l'inverse était impossible.

Au fur et à mesure que la pyramide se rétrécissait, le membre sélectionné découvrait peu à peu, en franchissant un degré après l'autre, les véritables buts où l'Illuminisme bavarois le conduisait : au premier grade puis lors des sélections initiales rien ne laissait prévoir aux membres de la base ce qui ne se dévoilait, sous le voile du secret absolu, qu'aux grades ultimes : un grand dessein subversif.

Les membres des tous premiers degrés et même des échelons intermédiaires eussent été dans une totale incapacité de découvrir le but suprême. Parvenu au dernier degré, le membre se voyait — si ses ressources personnelles étaient insuffisantes — entièrement pris en charge par l'Ordre, de manière à pouvoir s'y consacrer entièrement désormais.

Revenons plus directement à la Révolution Française.

Il est une constatation qui, estimerons nous, pourrait nous conduire vers une solution plus sereine du problème : cesser de voir la Révolution Française comme un bloc monolithique dans lequel les successifs changements, modifications de cap et bouleversements soudains ne s'expliqueraient que par la pression des événements successifs d'une part (avec, ne l'oublions pas, l'intrication historique des événements sur le plan de la France et de l'Europe) et, de l'autre, par les affrontements et rivalités successifs entre hommes, groupes et fractions rivaux ayant tour à tour succombé à la tentation du pouvoir.

Peut-on continuer à parler de la Révolution Française seule et unique ?

Sûrement pas, à notre avis. Prenons n'importe quel manuel (même très élémentaire), remettons-nous en mémoire les faits appris lors de notre formation scolaire puis au fil de nos lectures personnelles, et nous nous apercevrons bien vite d'une vérité objective qui, du moins l'estimons-nous, devrait crever les yeux.

En fait, il faudrait bel et bien distinguer non pas une seule mais *deux* Révolutions Françaises bien distinctes inaugurées l'une et l'autre (coïncidence) durant la période estivale : celle débutant au fatidique juillet 1789, puis celle qui éclatera en août et septembre 1792.

Si certains acteurs se retrouveront d'une phase à l'autre (Robespierre par exemple), d'autres auront été éliminés, remplacés.

Qu'en fut-il exactement du rôle — réel ou imaginaire — de la Franc-Maçonnerie dans chacune des deux phases ?

C'est ce que nous allons tenter de déterminer, pour en avoir enfin le cœur net.

PREMIERE REVOLUTION FRANÇAISE :
celle qui éclate l'été 1789.

Je rafraîchis nos mémoires sur la suite des événements : la convocation des Etats Généraux — ceux-ci s'érigèrent en Assemblée Parlementaire souveraine —, la prise de la Bastille (14 Juillet), etc...

On remarquera que ces révolutionnaires de 1789 ne cherchèrent nullement à renverser LOUIS XVI. Leur idéal, qu'ils mirent en œuvre dès la main-mise sur les événements, était de substituer à la monarchie absolue de l'ancien régime un système constitutionnel (c'est ce que tentera d'instaurer la Constitution de 1791) qui combinerait un régime parlementaire de type britannique à diverses réformes qui prendraient modèle et appui mutatis mutandis, puisqu'il ne s'agissait pas pour les Constituants, répétons-le, d'instaurer un régime Républicain, sur les institutions de la toute jeune démocaratie américaine.

N'oublions pas que l'une des vedettes (le terme nous vient à l'esprit tout de suite) de l'Assemblée Constituante sera le général La Fayette, qui avait, chacun le sait, apporté son appui si actif à la guerre d'Indépendance.

On eut fort étonné les Constituants en leur disant que, si peu d'années plus tard 1789-1792 : (ce n'est pas du tout, avouons-le, un laps de temps considérable) la Monarchie laisserait place en France, et sous la violence, à une République.

Cela vous étonnera sans doute (mais ce fut littéralement vrai) d'apprendre qu'en 1791 Robespierre était encore un royaliste convaincu, malgré ses convictions démocratiques.

Mais revenons à notre problème : dans cette première phase, disons parlementaire, en cette Première Révolution Française donc (le terme n'est pas de trop), serait-il possible de retrouver, en arrière-plan, une action souterraine de la Franc-Maçonnerie ?

Il demeure indéniable que, si l'on fait le décompte des députés aux Etats Généraux de 1789, ainsi que des secteurs (clubs, sociétés de pensée) gravitant autour d'eux, on parvient à une conclusion inévitable : la majorité de tous ces hommes étaient des francs-maçons, appartenaient aux loges.

Mais (nous évoquions tout-à-l'heure La Fayette) n'était-il pas déjà d'évidence que tous les artisans de l'Indépendance des Etats-Unis se trouvaient être maçons notoires : Georges Washington, Benjamin Franklin et tous les autres ?

On rencontrerait, au surplus, des documents législatifs où il serait vain de chercher l'effet du hasard.

Prenons la fameuse *Déclaration des Droits de l'Homme et du Citoyen* : dans l'iconographie d'époque, nous la verrons toujours reproduite sur des affiches au symbolisme typiquement maçonnique ; le Triangle avec l'Oeil du Grand Architecte de l'Univers, les deux Colonnes du Temple...

Est-ce à dire que la cause soit donc entendue une fois pour toutes, et que les artisans de la Révolution de 1789 n'aient fait qu'exécuter les instructions secrètes émanant de leurs loges respectives, et qui auraient elles-mêmes répercuté les consignes plus discrètes encore lancées, du sommet de la pyramide maçonnique, par les redoutables et mystérieux chefs secrets de l'Ordre ?

En fait, de telles consignes n'existèrent nullement. Comment tenter d'expliquer les choses ?

D'une part, la majorité des francs-maçons français de la période partageaient les opinions humanistes et libérales fort largement colportées dans les clubs et les sociétés de pensée, même en dehors des structures maçonniques proprement dites.

D'autre part, si les statuts des obédiences et loges maçonniques proscrivaient, en principe (alors comme aujourd'hui) les discussions politiques en loges, cela n'empêchera nullement une proportion notable de maçons de faire de la politique et même, de se servir, le cas échéant, de leurs contacts dans les loges.

La même remarque pourrait d'ailleurs déjà se faire à propos de l'Indépendance américaine : il n'y eut pas du tout alors de consignes maçonniques lancées de l'étranger mais, les futurs chefs de la guerre d'Indépendance étaient tous maçons (rappelons-le) — et ils avaient donc utilisé leur appartenance.

Remarquons au surplus que les perspectives philosophiques que les révolutionnaires tenteront de mettre en application s'accordaient pleinement avec l'*humanisme* si largement véhiculé par les loges.

Nul ne saurait nier que dans la Déclaration des Droits de l'Homme française, comme dans la Déclaration des Droits américaine qui l'avait précédée, le coup de patte maçonnique (si j'ose user de cette expression) est bien aisément reconnaissable pour celui ayant tant soit peu étudié le dossier.

Pour résumer donc : en 1789, pas de complot maçonnique mais en revanche, et combien fort, un vent de réformes humanistes et "philosophiques" (au sens 18eme siècle du terme), largement représentatif des convictions idéologiques alors dominantes dans la plupart des loges françaises !

Cette première Révolution Française aboutissait à une volonté de transformation parlementaire des institutions, se superposant puis se substituant à celles de l'ancien régime.

Une autre composante serait certes à faire entrer en ligne de compte, dans le déroulement de cette première phase de la Révolution Française : les intrigues orléanistes.

Il est même dûment établi que le Duc d'Orléans (ancien duc de Chartres) caressait le rêve de parvenir à remplacer sur le trône de France son cousin Louis XVI.

Dans ce but, il ne lésinera pas sur l'importance des moyens financiers à mettre en œuvre (cela lui était facile : n'avait-il pas la seconde plus grosse fortune de tout le royaume ? La première était celle du Duc de Penthièvre, beau-père de la Princesse de Lamballe) : il payera de ses deniers des équipes, méthodiquement entraînées, d'agitateurs, de propagandistes, de thuriféraires.

A leur tête le secrétaire particulier, homme de confiance du Duc : Choderlos de Laclos (plus connu en littérature puisqu'il est l'auteur des *Liaisons Dangereuses*).

Il semble bel et bien prouvé que les hommes du Duc d'Orléans montèrent l'insurrection du 14 juillet aboutissant à la prise de la Bastille.

Que ce sont eux aussi qui monteront cet autre coup fumant que seront les journées des 5 et 6 octobre 1789, obligeant la Cour à quitter Versailles pour les Tuileries (détail amusant : parmi les Dames de la Halle, soi-disant maîtresses des événements, il se mêlait des agitateurs habillés en femmes et qui n'étaient nullement des travestis sexuels).

Au cours de la seconde de ces occasions, il semble que Philippe d'Orléans, s'il était alors allé jusqu'au bout (il hésitera au dernier moment à faire massacrer, après les gardes du corps, la famille royale) (rappelons que la porte des petits appartements avaient été laissée "mystérieusement" ouverte aux émeutiers), eût pu s'emparer du trône.

Par la suite, l'occasion favorable ne se retrouvera jamais pour lui et l'on sait comment "Philippe Egalité" ne réussira pas en 1793 — malgré qu'il ait joué la comédie du jeu républicain — à sauver sa tête.

Le Duc d'Orléans était, signalons-le, Grand Maître de la plus importante, numériquement parlant, des puissances maçonniques françaises : le Grand Orient.

Mais il faudrait tout de suite dissiper une conclusion par trop facile : la fonction de Grand Maître du Grand Orient de France, et même si (à l'inverse de ce qui s'instaurera plus tard) la nomination était alors prononcée à vie, ne correspondait nullement à un pouvoir autocratique et souverain, qui eût donné à son détenteur le droit d'édicter des consignes impératives à transmettre et répercuter du haut en bas de l'édifice, jusqu'à l'ensemble de toutes les loges de l'obédience.

Ses prérogatives réelles revenaient à guère plus en fait, question pouvoirs, que celles du Président d'un Conseil d'Administration.

Cela n'empêchait évidemment pas le Duc d'Orléans d'essayer au maximum d'utiliser ses contacts en maçonnerie. Et son bras droit, véritable âme damnée, Choderlos de Laclos était lui aussi maçon, ne l'oublions pas.

Parmi les francs-maçons admis dans l'entourage du Duc d'Orléans, il faudrait citer son médecin, d'origine allemande : Jean Geoffroy (dit Andréas) Saiffert (1747-1810).

C'est celui-ci qui, en juillet 1789, avait mis le Duc au courant — ce qui permettra à ses hommes de monter l'opération du faubourg Saint Antoine (permettant la prise de la Bastille) — du projet qu'avait un moment caressé la cour d'employer les régiments étrangers pour un coup de force qui eut dissous l'Assemblée Nationale.

Saiffert était devenu aussi — notons-le — médecin personnel de la belle-sœur du Duc d'Orléans : la Princesse de Lamballe (1749-1792), la fidèle amie de Marie-Antoinette (nous aurons à reparler d'elle).

Cette Princesse avait succédé en 1780 à la Duchesse de Bourbon (mère du futur et infortuné Duc d'Enghien) comme

Grande Maîtresse de la maçonnerie française féminine : celle des loges dites d'Adoption.

Il faudrait nous garder soigneusement de considérer ces dernières comme n'ayant été que de simples cercles mondains pour les femmes du grand monde.

Il suffirait d'étudier leur symbolisme, propre aux loges féminines, pour s'apercevoir de sa cohérence initiatique.

Quand à l'infortunée Princesse de Lamballe, dont nous évoquerons tout-à-l'heure la fin tragique (véritable martyre en fait), surtout célèbre pour avoir été la plus fidèle amie de Marie-Antoinette, il faudrait se garder de la considérer comme une femme, ravissante certes, mais de bien peu d'envergure intellectuelle. C'était tout le contraire.

Nous évoquions sa grande maîtrise des loges d'Adoption, fonction qu'elle prit très au sérieux, mais il ne faudrait pas négliger son appartenance au Rite Egyptien de Cagliostro, ainsi que celle à une société secrète hermétique para-maçonnique, celle des Frères et Sœurs Initiés de l'Asie.

Nous aurons à reparler de la Princesse de Lamballe, et aussi de son médecin, le docteur Saiffert.

Celui-ci avait une originalité politique bien rare encore (répétons-le) en la phase initiale de la Révolution : des convictions politiques franchement républicaines — mais dénuées de violence.

Il caressait le rêve utopique de l'avènement d'une époque où la raison se répandrait au sein de l'espèce humaine que les souverains renonceraient désormais à leurs privilèges.

Le docteur Saiffert avait deux appartenances fraternelles.

L'une à la Franc-Maçonnerie traditionnelle (celle du Grand Orient de France plus précisément) ; l'autre à une société secrète politique d'extrême gauche qui n'était autre que nos fameux Illuminés de Bavière.

Ce non-violent sera — nous le comprenons — fortement déçu (disons-le tout de suite) par la tournure si abrupte que prendront les événements au cours de l'été 1792.

Nous en arrivons maintenant à la seconde phase de la Révolution Française

DEUXIEME REVOLUTION
aux tendances si radicalement différentes de la première.

C'est l'été 1792 — en août et septembre plus précisément — qu'elle se déchaînera dans la capitale.

Dès la fin de l'été, la Monarchie est renversée, la République proclamée. Cette seconde Révolution, républicaine et violente, serait-elle — compte tenu du changement brusque des hommes et des équipes en place au pouvoir — à considérer, elle aussi, comme largement maçonnique d'inspiration ?

Sans conteste, il y eut une proportion non négligeable de frères rejoignant alors le camp républicain, et même une minorité franchement de gauche : celle qu'on appellera, à la Convention, les Montagnards (rappelons que cette appelation venait de leur situation élevée sur les gradins de l'Assemblée) — comme Barrère, Couthon, Danton ou comme Maximilien Robespierre, devenu farouche républicain l'été 1792.

L'appartenance maçonnique de celui-ci est certes niée par divers historiens mais elle n'en est pas moins — selon nous — indéniable.

Remarquons tout de suite que l'on trouverait, en revanche, des francs-maçons non seulement chez les républicains modérés mais même parmi les royalistes les plus décidés dans leur défense active de l'ancien régime.

Citons — exemple qui parlerait de lui-même — le chef vendéen Charette.

Cela ne devrait rien présenter d'étonnant puisque — répétons-le — il n'existait pas de consignes politiques impératives circulant dans les loges.

Simplement, les principes humanistes de la Franc-Maçonnerie, le climat idéologique de fraternité active s'harmonisaient fort bien avec les convictions personnelles (diverses au demeurant) des maçons.

Ce qui n'excluera pas, lors du tournant décisif (et même avant : des maçons illustres ne figureront-ils pas dès la fin de l'été 1789, parmi les émigrés qu'alarment le cours des événements ?) le clivage — irrémédiablement parfois — de choix opposés, personnels ou collectifs.

Il n'y aurait d'ailleurs pas que la Franc-Maçonnerie Française, dès la fin du 18eme siècle, à compter parmi ses membres des options pouvant être diverses, voire opposées sur le plan des attitudes politiques et sociales.

Cela (l'existence de choix très divers) se constaterait d'ailleurs même (faisons un parallèle audacieux) au sein de l'Eglise Catholique d'aujourd'hui.

Voyez les positions et attitudes diverses, qui iront d'une extrême-gauche militante (celle dite des "curés rouges" par le langage, très simplificateur certes, de l'opinion publique) à une extrême-droite très structurée (par exemple le mouvement phalangiste de l'abbé de Nantes), avec toute la gamme des intermédiaires.

Revenons à la deuxième phase — radicale, violente, républicaine — des événements d'après 1789 ; une véritable seconde Révolution en fait.

Comment naquit-elle ?

Comment put-elle se développer d'une manière inexorable ?

La réponse courante des historiens est celle-ci : au départ, il n'y avait pas eu de complot subversif. C'est tout simplement la poussée de plus en plus irrésistible des événements subits (en été 1792, la France est envahie — ne l'oublions pas — par des troupes étrangères, ayant franchi les frontières de l'Est et qui espèrent bien pousser jusqu'à Paris) qui ne pouvait que propulser, au premier rang, les éléments les plus extrêmes (jusque là fort petite minorité dispersée et non encore agissante) — créant et animant des institutions autoritaires mais totalement improvisées en fait.

Improvisées ? nous verrons ce qu'il faut en penser !

Pour résumer d'une manière concrète et frappante la thèse classique : face à la menace de plus en plus accentuée (Verdun venait de capituler) d'une invasion étrangère (assurée au surplus de trouver une aide active à l'intérieur du pays), les "durs" prennent les rennes ; les hommes s'estimant seuls capables d'oser opposer aux ennemis (ceux de l'extérieur comme ceux de l'intérieur) une résistance délibérée capable de sauver *in extrêmis* la patrie en danger.

C'est ainsi que se créera, que s'organisera la *Commune Insurrectionnelle* qui — se substituant aux autorités régulières de Paris — prendra le pouvoir (sous l'irrésistible poussée des événements bien visibles). Pourtant n'avait-elle pas été formée — osons faire la remarque — bien avant la crise fatidique.

Et l'étude vraiment objective des faits nous montrerait, n'en déplaise à l'opinion de la majorité des historiens officiels, que cette Commune Insurrectionnelle de 1792 ne fut absolument pas une création improvisée.

La manière même dont elle deviendra si totalement maîtresse de la capitale au cours de l'été 1792, dont elle réussira sans coup férir à s'assurer le contrôle de la Garde Nationale, à organiser très vite une insurrection de grand style (ne réussissent — ce n'est pas Lénine qui nous démentirait — *que les insurrections* et coups d'état méthodiquement organisés. L'improvisation c'est l'échec immanquable), à faire la loi dans les rues de la capitale, au point d'imposer finalement ses volontés au gouvernement légal et à l'Assemblée Législative, totalement paralysés, — tout cela se passe de commentaires n'est-ce pas ?

A la date du 9 août 1792 — la veille même de la prise des Tuileries —, le docteur Saiffert (déjà mentionné) écrira noir sur blanc dans ses mémoires, après avoir participé à une réunion de la Commune Insurrectionnelle :

"J'ai su (...) que demain doit sonner le glas de la Monarchie (1)."

Non seulement la Commune Insurrectionnelle prend donc le pouvoir mais, pour le conserver, elle n'hésitera pas à utiliser, et sans pitié, cette arme redoutable, à l'efficacité éprouvée hélas : instaurer une terreur préventive systématique. Les manuels nous donnent une image totalement fausse des trop fameux massacres des 1er, 2 et 3 septembre 1792.

On nous présente le peuple de Paris, surchauffé sous la menace d'une proche invasion étrangère, se ruer en foule vers les prisons parisiennes pour y liquider sommairement les suspects emprisonnés à la suite du 10 août — afin de tuer dans l'œuf la possibilité qu'ils auraient pu avoir de former (usons d'un terme anachronique mais suggestif) une redoutable "cinquième colonne" qui eût appuyé les troupes étrangères dans une sanglante répression.

En fait, les massacreurs (ce n'était donc pas du tout une foule mais de petits noyaux d'activistes) avaient été méthodiquement recrutés dans la lie de la populace.

Organisées en petites équipes munies d'armes blanches diverses entre lesquelles le travail (si l'on peut dire) fut réparti, ils recevaient des bons municipaux de nourriture et même de vin (il leur fallait bien après tout de quoi se réconforter !) ; qui plus est, ils étaient bel et bien *payés*. On a retrouvé, là aussi, les écritures correspondantes.

---

(1) Voyez Alexandre Cabanès, "La Princesse de Lamballe intime d'après les mémoires de son médecin" (Albin Michel, 1922).

La question se poserait donc : *qui payait*, quels étaient donc les bailleurs de fonds ? Le mystère demeure entier jusqu'à aujourd'hui...

Fait significatif : non seulement seront massacrés les prisonniers (aristocrates emprisonnés après la journée du 10 août, prêtres réfractaires, etc...) jugés aptes à jouer un éventuel rôle actif lors d'une contre-révolution mais, pour inspirer à l'avance une salutaire terreur aux Parisiens modestes — ils eussent été nombreux qui auraient pu être tentés de manifester leur sympathie à la monarchie menacée — on n'hésitera pas à faire massacrer en masse des victimes qui eussent été bien incapables (et pour cause) de la moindre action politique : furent ainsi "vidés" méthodiquement, pour frapper l'imagination, les hospices de la Salpêtrière et de Bicêtre où la police entassait les épaves sociales raflées sur la voie publique au cours des précédents mois (les mendiants, les enfants vagabonds, des vieillards tombés dans la misère, les prostituées).

On visait donc à terroriser *systématiquement* les Parisiens, de manière à tuer dans l'œuf toute possibilité de retour à l'ancien état de choses...

Je vous renvoie à un excellent ouvrage (dont on n'a guère parlé, sans doute parce qu'il bouleverse salutairement les idées reçues), qui fait le point définitif sur la véritable histoire des dits massacres : *SEPTEMBRE 1792,* de Frédéric BLUCHE (1).

---

(1) chez Robert LAFFONT

Tout laisse conclure à l'absence de toute génération spontanée dans la génèse des dits événements.

Quant à la formation même de la Commune parisienne insurgée, il ne faut pas manquer de remarquer que, si on vit certes en fait son action ne se rendre visible qu'en début d'été 1792 (songeons par exemple à cette journée du 21 juin 1792, où le palais des Tuileries avait été envahi et Louis XVI obligé de coiffer le bonnet rouge pour boire à la santé de la Nation mais sans que l'affaire dégénérât en massacre), l'opération finale avait été préparée de longue date.

Evoquons l'image bien connue du formidable iceberg, à la partie invisible bien plus importante que la partie visible.

L'intensité, l'efficacité mêmes de l'insurrection méthodiquement déchaînée au mois d'août 1792 montrerait qu'une lente préparation s'était trouvée mise en place lors de tous les mois précédents, qu'une redoutable société secrète y avait joué le rôle de chef d'orchestre invisible.

Aurait-ce été la Franc-Maçonnerie ? Barruel aurait-il donc eu bel et bien raison d'une manière littérale ?

En fait, ce dernier avait à la fois tort et raison !

Raison, et combien, de voir en ces événements l'action délibérée d'une main invisible.

Tort en ce qu'il ne s'agissait pas du tout — et même si les acteurs du drame auront en divers cas une double appartenance — de la Franc-Maçonnerie proprement dite (celle des loges régulières, d'obédiences ayant pignon sur rue) mais d'une redoutable déviation politique qui avait cherché à noyauter la première : la redoutable société secrète dite des Illuminés de Bavière, fondée en cette contrée (d'où son nom) par Adam Weishaupt — jeune professeur de Droit Canon, ancien élève des Jésuites à l'université bavaroise d'Ingelstadt — une quinzaine d'années tout juste avant la première phase, celle de "89" de la Révolution Française.

Cette société secrète des Illuminés n'a pas été inventée de toutes pièces par l'abbé Barruel.

Elle n'est pas davantage un produit de l'imagination si fertile d'Alexandre Dumas.

Toutes les pièces originales — rituels des divers grades, décrets administratifs, etc... — ont pu être étudiées à loisir par les historiens spécialisés, notamment (pour ce qui concerne la France) René Le FORESTIER.

La manière dont toutes ces pièces compromettantes étaient tombées aux mains de la police bavaroise, laquelle entamera immédiatement des poursuites contre Weishaupt et ses disciples, est à vrai dire vraiment fantastique, semblerait sortie toute chaude d'un roman (mais, n'est-ce pas, la réalité dépassera toujours volontiers la fiction).

Voici ce qui se passa : Weishaupt, se préoccupant de faire sans cesse davantage rayonner, irradier le mouvement en Allemagne, avait chargé l'un de ses adjoints directs, Lanz, un prêtre défroqué, de transmettre à la filiale saxonne de l'Ordre (en cours d'installation) toutes les pièces et documents nécessaires.

En traversant une forêt ce Lanz, qui voyageait à cheval, est frappé par la foudre — tué sur le coup — d'où, lors de l'enquête policière de routine qui s'ensuit, découverte, bien imprévue, d'une valise qui transportait tous les dossiers de l'Ordre des Illuminés, dans ses moindres ramifications.

Le dit dossier ne laissait absolument aucun doute sur la nature et sur les buts réels de l'Ordre des Illuminés.

Ceux-ci étaient précisés noir sur blanc : institution d'une république universelle, impliquant la destruction non seulement des trônes mais aussi celle des religions, plus précisément celle de l'Eglise Romaine.

Et sans reculer devant la plus ou moins grande légitimité des moyens qui seraient à employer sans pitié pour détruire l'ancien ordre des choses.

Citons la plus lapidaire des formules de Weishaupt à propos de l'ancien ordre social et religieux : TOUT DETRUIRE, LE PLUS POSSIBLE ET LE PLUS VITE POSSIBLE.

En même temps que très clairs et nets dans ses buts subversifs, Adam Weishaupt savait s'y montrer d'une habileté extrême.

Les buts véritables et derniers de la redoutable société secrète ne se trouvaient dévoilés — rappelons-le — au membre choisi que s'il réussissait à parvenir aux degrés ultimes de l'Ordre. Avant ce stade, rien ne laissait présager les dits buts subversifs au membre moyen. Seuls les affiliés longuement testés au fil de la hiérarchie seraient admis aux degrés véritables, ultimes de l'Ordre.

Le Grand Maître (Weishaupt lui-même, dont le *NOMEN* initiatique — bien révélateur de son idéal d'une totale réforme sociale de l'humanité — était *Spartacus*, le chef de la révolte des esclaves) — à l'inverse de ce qui se trouvait être le cas dans la Franc-Maçonnerie des obédiences normales — détenait un pouvoir autocratique, sans appel, comportant même le droit de prononcer des sentences de mort contre d'éventuels renégats.

L'organisation était un chef d'œuvre de structure pyramidale, avec des loges superposées que de véritables cloisons étanches isolaient les unes des autres.

Ainsi, les membres d'un degré supérieur à un autre connaissaient certes les noms des membres de ce dernier, mais la réciproque était impossible.

Il fallut vraiment un hasard providentiel (la foudre frappant Lanz qui traversait une forêt) pour que tout le sommet se trouvât fortuitement dévoilé d'un seul coup.

Weishaupt avait pourtant (ses papiers révélaient son véritable génie dans l'organisation méthodique de la subversion) tout prévu — sauf, évidemment, l'imprévisible total.

Pour beaucoup d'historiens, la découverte de l'affaire par la police bavaroise aurait mis définitivement fin au complot : Weishaupt, obligé de s'enfuir et "brûlé" (comme on dit en langage des services secrets), ne pouvait plus jouer le moindre rôle subversif (il ne mourra qu'en 1830) et tous ses complices des grades supérieurs avaient été arrêtés.

Pourtant, fut-ce en 1785 une affaire définitivement terminée, enterrée ? On peut valablement supposer et, connaissant le machiavélisme minutieux si cher à Weishaupt, que (du chef de ce chef d'œuvre d'organisation subversive) l'Ordre des Illuminés de Bavière ait fort bien pu continuer dans l'ombre à exister, à étendre même ses ramifications en divers pays, surtout avec la libre disposition des fonds importants placés en diverses banques discrètes.

Lors de son procès à Rome, Cagliostro confirmera pleinement les dits faits — qui, vous le savez, seront exploités d'une manière tonitruante par Dumas père.

Pour ce qui concerne la France, il est un point fort significatif : les buts subversifs des Illuminés, on les retrouverait bel et bien tels quels en ceux de la Commune Insurrectionnelle : renversement de la Royauté par la violence, destruction implacable de toutes les structures de l'ancienne société française, déchristianisation systématique du pays (qui se concrétisera au début de 1793 par la transformation forcée de Notre-Dame de Paris en Temple de la Raison).

Et ne sera-ce pas la Commune Insurrectionnelle du Paris de 1792 qui imposera la décision de faire emprisonner "Louis Capet" et sa famille dans la tour du Temple — l'ancien quartier général et résidence du Grand Maître de l'Ordre du Temple ?

Invoquer la "coïncidence" ne tromperait personne. Il faudrait remarquer (qui plus est) la présence, parmi les membres de la Commune Insurrectionnelle de Paris et au nombre des personnages y ayant touché de près, de personnages d'origine allemande.

Citons Anacharsis Cloots, futur député de la "Montagne" à la Convention.

Pourquoi ne pas y reconnaître la courroie de transmission avec les Illuminés ?

Nous citions à deux reprises le nom du docteur Saiffert, médecin du Duc d'Orléans et de la Princesse de Lamballe.

Non seulement c'était un franc-maçon, mais tout laisse pressentir son appartenance — bien en accord, il faut l'avouer, avec ses convictions politiques ardemment républicaines — aux Illuminés de Bavière.

A cet égard, nous nous montrerions beaucoup plus affirmatif que Jean BAYLOT (1), qui ne fait qu'envisager la — dite possibilité.

Chose curieuse, il y aura une tentative, passée sous silence par les manuels, pour empêcher le déchaînement final de la tourmente par une ultime tentative d'accord *IN EXTREMIS* — incroyable prodige d'équilibre précaire — entre les extrêmes politiques.

Le fait est là : peu avant les fatidiques journées d'août 1792, la Princesse de Lamballe, conseillée par son médecin personnel Saiffert, se faisait l'intermédiaire — lors d'une série d'entrevues secrètes au pavillon de Flore (où elle avait alors sa résidence) — entre la cour (essentiellement Marie-Antoinette, sa bien-aimée amie et ses familiers) et trois chefs de l'aile gauche des révolutionnaires parisiens, tous trois en sympathie avec les objectifs caressés par la Commune Insurrectionnelle : Pétion (l'un des futurs chefs des Girondins), maire de Paris ; Danton (ministre de la Justice) et Maximilien Robespierre.

---

(1) Dans son livre "LA VOIE SUBSTITUEE".

La manœuvre réussira presque, échouant à cause de l'intransigeance de la majorité des représentants de la cour.

Quelle eut donc été cette solution de tout dernier recours, qui eut bel et bien sauvé la monarchie ?

La voici : Louis XVI eût abdiqué en faveur de son fils le Dauphin Louis XVII et, durant toute la minorité de celui-ci, la régence aurait été exercée par la Princesse de Lamballe (celle-ci étant la belle-sœur du Duc d'Orléans, cela eût du même coup neutralisé les intrigues orléanistes).

Robespierre aurait été Premier Ministre, des pourparlers de paix eussent été engagés avec les coalisés.

Le problème des "prêtres réfractaires" (qui, on le sait, se trouvaient depuis plusieurs mois emprisonnés et déportés en masse, aurait été réglé de la manière suivante : les laisser totalement libres d'exercer leur ministère, mais sur la seule base financière des libres contributions de leurs fidèles.

Les ventes des biens nationaux (confisqués aux émigrés) étaient reconnues...

L'opération échoua par la suite de l'opposition irréductible de la cour.

On sait ce que fut l'horrible massacre de la Princesse de Lamballe, le matin du 3 septembre 1792.

Fut-elle vraiment l'une des victimes, entre bien d'autres, hélas, des septembriseurs ?

En fait, le problème se révèlerait bien plus complexe.

La Princesse n'avait-elle pas été acquittée par le "tribunal" improvisé que présidait Hébert (un franc-maçon lui aussi) à la prison de la Force ?

Normalement, elle eut donc du pouvoir traverser impunément, à sa sortie, la haie des massacreurs.

Elle le fit d'ailleurs, sous la conduite de l'un de ceux-ci.

A mi-chemin (et alors qu'elle se réjouissait de rejoindre le docteur Saiffert, ce fut une autre vague de septembriseurs (l'attendant au bout de la rue), qui assaillit la malheureuse Princesse.

Cette mort affreuse de la Princesse de Lamballe (1) fut donc toute différente en fait de la manière (le soi-disant lynchage par la foule en colère !) dont on l'explique d'ordinaire dans les manuels.

Le problème se révèlerait bien plus complexe : comment donc expliquer cette véritable "exécution" — d'une cruauté raffinée — bien différente du lynchage sommaire par une foule exaltée ?

Il s'avère bien trop facile de faire de Madame de Lamballe une victime, parmi tant d'autres — bien plus anonymes elles —, des massacres de septembre.

Dans son livre *La Grande Révolution*, RASPAIL (homme d'extrême-gauche s'il s'en fût) n'hésitera pas à isoler le cas de l'infortunée Princesse, et à y voir non pas un lynchage spontané mais l'exécution délibérée de quelqu'un devenu fort gênant pour certains — et pas forcément du côté des hommes de gauche.

Madame de Lamballe était, nous le signalons en début d'exposé, Grande Maîtresse des loges françaises de la maçonnerie féminine.

Elle était, au surplus, affiliée au Rite Egyptien de Cagliostro, ainsi qu'à une mystérieuse société secrète paramaçonnique : celle des Frères et Sœurs Initiés de l'Asie.

Est-ce à dire qu'elle aurait bel et bien fait l'objet de l'une de ces "vengeances fraternelles" tant invoquées par les auteurs anti-maçonniques ?

---

(1) Elle était bien vivante quand l'un des assassins lui découpa lentement la tête avec un couteau ébréché.

Cela est absurde, estimons-nous !

La clef de l'affaire serait, bien plutôt, à découvrir du côté d'un ténébreux règlement de comptes politiques, contre quelqu'un qui, vraiment, en connaissait trop certains dessous de cartes, aux ramifications inattendues...

Je pense avoir cerné les élements aptes pour faire bâtir sa propre idée au lecteur sur l'irritant et si controversé problème des rapports (visibles ou inconnus) entre la Franc-Maçonnerie et la Révolution Française.

Pour ma part, je pense que c'est la distinction de DEUX REVOLUTIONS en fait qui donne la véritable clef du problème.

Contraste donc — et compte tenu d'interférences à ne pas négliger, certains acteurs du drame ayant eu la double appartenance — entre une première Révolution, celle de 1789, si largement maçonnique dans l'application de ses principes humanistes, et une autre, celle éclatant au cours de l'été 1792 (compte tenu certes d'une préparation souterraine méthodique) et où se décèlerait immanquablement le coup de patte, tout de suite reconnaissable, des Illuminés de Bavière.

Ceux-ci formaient certes une société secrète issue de la Franc-Maçonnerie — mais à considérer comme une déviation politique en fait de celle-ci —, sans rattachement administratif à une obédience régulière.

Il nous resterait à évoquer un problème historique à propos duquel à pu être allégué un rôle en coulisses qu'auraient joué certains francs-maçons.

Nous voulons parler de la bataille de Valmy — "bataille" qui, il faut bien le dire, ne méritait guère ce nom : ce ne fut qu'une escarmouche sans la moindre envergure, contrairement à l'image si glorieuse qu'en donnent toujours nos manuels scolaires, prolongée dans l'imagerie d'Epinal républicaine (elle inspirera un fort beau film de Jean RENOIR) ; ce ne fut absolument pas une grande bataille.

Le grand mystère, c'est justement d'expliquer comment les Prussiens, fort bons soldats et si bien équipés, se soient retirés sans avoir pratiquement combattu devant des bataillons français composés en majorité de volontaires peu entraînés, à l'équipement tout improvisé.

Deux explications "iconoclastes" (pour notre patriotisme républicain) ont pu être avancées, et faisant intervenir toutes deux en coulisses une machination maçonnique.

Le Duc de Brunswick, Commandant en Chef de l'armée prussienne, était Grand Maître d'une obédience maçonnique se réclamant (toujours cet éternel problème de l'Ordre martyr !) d'une filiation templière : la Stricte Observance, et qui comptait des membres de haut grade dans la maçonnerie française (au Rite Ecossais Rectifié).

Or le Duc de Brunswick, qui se trouvait acculé à un gigantesque arriéré de dettes cuisantes, se trouvera tout d'un coup capable, au retour même de la campagne, de les rembourser intégralement et d'un seul coup, sans qu'on puisse découvrir d'où il avait pu tirer brusquement les fonds nécessaires.

On a pensé que Danton, alors Ministre de la Justice, lui aurait — à la suite de fort discrets contacts maçonniques — fourni les ressources nécessaires.

De quelle manière, puisque le Trésor Public n'était nullement, bien au contraire, rempli alors à ras bord ?

Fin juin 1792, se passera un événement fort bizarre : des inconnus (on ne les retrouvera jamais), s'introduisant dans les bâtiments du garde-meubles où étaient entreposés les joyaux de la couronne (une grande partie avait certes déjà "disparu", mais ce qui restait n'était pas du tout négligeable) et avaient emporté un butin substantiel.

Serait-ce "en nature" qu'aurait été apporté de quoi rembourser les énormes dettes du Duc de Brunswick ? On peut se le demander (1)...

Autre hypothèse iconoclaste : celle-ci, dont nous allons faire état.

Le Duc de Brunswick non seulement nourrissait une vénération sans borne pour le génie de son aïeul, le grand Frédéric, mais, adepte de séances "spirites" avant la lettre (accomplies à l'occasion d'impressionnantes assemblées maçonniques de sa Stricte Observance), il questionnait Frédéric II sur les décisions à prendre au cours de la campagne.

Or, il existait un acteur parisien — approchant les 70 ans —, lui-même franc-maçon de haut grade du Rite Ecossais Rectifié, qui, physiquement, était l'hallucinant sosie du "vieux Fritz" (Frédéric II âgé).

Et, lors d'une évocation magique tentée par le Duc de Brunswick après l'entrée de ses troupes en France, on se serait arrangé pour y faire apparaître le soi-disant "spectre" de Frédéric II, qui déconseillera formellement, sous peine de désastre militaire, de poursuivre l'invasion, conseillant même de se retirer le plus vite possible du territoire français.

Mais revenons aux loges maçonniques françaises au cours des deux phases successives de la Révolution.

---

(1) Et d'autant plus qu'à la mort du Duc, l'inventaire de ses biens révèlera la présence parmi eux — d'une manière qui semblait inexplicable — de plusieurs des pièces du trésor des Rois de France.

Il serait facile de déceler un total contraste entre les deux périodes.

Tout au long de la première : intense activité au sein des loges maçonniques (nous voulons évidemment parler des seules loges maçonniques rattachées à une obédience traditionnelle, qu'il s'agisse du Grand Orient ou de la Grande Loge Ecossaise).

Au cours de la seconde période (celle de la Révolution violente) : les réunions en loges deviendront de plus en plus clairsemées ; nombre d'ateliers ne se réunissent plus que de loin en loin, avec des effectifs très réduits — voire tomberont en sommeil.

Il y aura certes, comme toujours, les exceptions qui confirment la règle.

Nous voulons parler des loges qui continuent, voire (cas infiniment plus rare) de créations d'ateliers nouveaux — par exemple en 1793, la création de l'une des plus importantes loges parisiennes travaillant au Rite Ecossais Rectifié : le Centre des Amis.

Comment expliquer cette baisse vertigineuse des effectifs et des loges, cette mise en sommeil progressive (avec quelques exceptions, rappelons-le) du gros des activités maçonniques après l'été 1792 ?

Il n'y aura jamais — notons-le — de loi ou décret de la Convention prononçant la dissolution de la Maçonnerie (plusieurs députés en feront d'ailleurs toujours partie (1) et s'efforceront — en vain malheureusement dans beaucoup des cas — de faire malgré tout pencher la balance vers la modération.

---

(1) Par exemple les deux créateurs du calendrier républicain : le savant ROMME et le poète FABRE D'EGLANTINE.

Pourtant le nombre des loges maçonniques décroît en flèche, se rétrécit comme une peau de chagrin.

On avait vu, à partir du fatidique août 1792, s'établir un climat croissant d'insécurité, d'inquiétude, de violence, de suspicion aussi.

Il se répercutait, progressait dans tous les milieux, y compris les loges.

Il faudrait rappeler une constatation très significative, et trop volontiers oubliée.

Si aujourd'hui la majorité des Français sont très fermement attachés à la République, qu'en était-il en 1792 ?

Lors des élections en automne 1792 à la Convention Nationale, quel sera le taux de participation électorale ?

Le voici, tenez-vous bien : 2 1/2 % !

L'immense majorité des électeurs — terrorisée par le tour subitement si brutal pris par les événements — s'était donc réfugiée dans l'abstention.

Et, au cas où de nombreux partisans de la royauté auraient osé venir manifester leurs convictions, on avait prévu de placer dans les principaux bureaux de vote de Paris et des grandes villes de petites équipes disons "musclées" pour leur inculquer un salutaire désir de quitter bien vite les lieux.

Loin donc de refléter fidèlement un choix politique voulu en profondeur par le pays, la Convention — et quelle qu'ait pu être par ailleurs l'indéniable grandeur patriotique de l'œuvre qu'elle accomplira — correspondait à l'arrivée au pouvoir, par la violence, d'une minorité agissante.

Que certains maçons aient, comme d'autres Français, pris peur et, au fur et à mesure que se profilait puis s'instaurait la Terreur, se soient alors terrés, n'eut rien d'étonnant.

Il ne s'agissait malheureusement pas toujours forcément de maçons dans le rang.

C'est ainsi qu'on verra le Grand Maître en titre du Grand Orient de France — l'ancien Duc d'Orléans, devenu "Philippe Egalité" — envoyer à l'obédience sa démission, en termes plutôt craintifs et embarrassés, c'est le moins qu'on puisse dire.

Il disait avoir cru à la Maçonnerie quand celle-ci lui semblait, sous la monarchie, incarner les idées de liberté, de progrès et d'égalité, mais qu'il ne voyait désormais nul besoin de continuer à y exercer des fonctions alors (disait-il à peu près) qu'un simple reflet de l'idéal d'affranchissement n'avait plus de raison de subsister en face de sa réalité : le régime républicain.

Cette piteuse dérobade sera considérée comme révélant chez le cousin de Louis XVI un manque total de responsabilité et de courage.

Geste symbolique, l'épée du Grand Maître sera solennellement brisée sur le genou de l'un de ses adjoints.

Il faudrait remarquer que ce climat de violence et de peur n'aboutira pas à une totale mise en sommeil de la vie maçonnique.

On devrait constater aussi que, tout bonnement, un nombre croissant de Français s'était trouvé tellement accaparé (et quels que fussent ses choix personnels) par la tempête des événements qu'il n'avait absolument plus le moindre temps disponible à consacrer aux réunions de loges.

Le fait est que, peu à peu et à un rythme de plus en plus accéléré, l'avènement d'une période enfin moins trouble sur le plan intérieur (après Thermidor, puis plus encore sous le Directoire) s'accompagnera d'un réveil progressif des activités maçonniques.

Saluons ici l'activité de Frères prudents et sauvegardeurs, comme Alexandre ROETTERS de MONTALEAU.

Tout se trouvera prêt pour que, sous Bonaparte, la Franc-Maçonnerie française connût une nouvelle période d'ascension fulgurante.

Mais ceci est une autre histoire, dirait-on.

Il est un dernier point qui mériterait une étude spéciale : les quatre tentatives d'instaurer en France une religion laïque qui, tout au moins dans l'esprit de ses promoteurs, serait appelée à remplacer progressivement, dans la dévotion des masses, le christianisme.

Toutes quatre furent créations de francs-maçons qui, tour à tour, succombèrent à la tentation — mortelle selon nous, et les faits parleraient d'eux-mêmes (aucun de ces cultes laïcs ne sera durable) — de transposer dans la vie profane des rites symboliques pratiqués en loges ; bref une tentative malheureuse d'instaurer un culte, une religion du Grand Architecte de l'Univers.

Alors que, précisément, les rites maçonniques ne constituent pas du tout une religion !

On avait vu se succéder ainsi, de la Convention au Directoire : le Culte de la Raison (de HÉBERT et CHAUMETTE), celui de l'Etre Suprême (cher à ROBESPIERRE), la Théophilantropie, le Culte Décadaire.

L'échec ne pouvait qu'être fatal.

La perspective traditionnelle, si bien précisée par René GUÉNON, ne manquerait pas de nous rappeler la barrière radicale qui, partout et toujours, séparera le domaine des rites initiatiques de celui des rites d'une religion ésotérique.

Vouloir passer du premier au second, et même dans le cadre d'une religion laïque, c'était courir immanquablement à l'échec.

Que conclure de cette vaste enquête, que nous avons voulue aussi étendue que possible ?

A vous, lecteur, de savoir en tirer vos propres conclusions.

LA FRANC-MAÇONNERIE
"Légendes et Vérités"

Le meilleur point de départ, pour tenter de vous faire ensuite comprendre ce qu'est vraiment la Franc-Maçonnerie, serait de partir des deux idées choc si répandues encore chez le Français moyen sur cette fameuse société secrète.

Suivant le premier de ces deux clichés, la Franc-Maçonnerie serait une organisation d'anticléricaux militants qui travaillent à détruire la religion en général, et l'Eglise catholique tout spécialement.

Bien rares, certes, sont désormais les gens qui croient encore (cela fit pourtant la fortune, à la Belle Epoque, d'un Léo Taxil et de ses compères) que la Franc-Maçonnerie pratique, et plus spécialement dans les hauts grades (ces redoutables "arrières-loges") l'adoration et l'évocation du diable ; mais les "frères trois points" se trouvent assimilés volontiers à des machiavéliques "bouffeurs de curés", qui cherchent par tous les moyens à précipiter la déchristianisation dans les pays latins, le nôtre en tout premier lieu.

A ce militantisme anticlérical, on associe une face politique cachée — qui viserait insidieusement à faire main basse sur la France et les autres états.

Seconde face de la si mauvaise réputation persistante de la maçonnerie aux yeux du Français moyen : l'image d'association très exlusive, d'un super club d'habiles combinards qui par le jeu du copinage, cherchent à conquérir, à accaparer, dans notre pays et ailleurs aussi, toutes les bonnes places, tous les postes lucratifs, dans la fonction publique principalement, mais dans le secteur privé aussi.

Je rappellerai ici un petit souvenir personnel, remontant aujourd'hui à une bonne dizaine d'années mais qui pourrait être repris absolument tel quel, "mutatis mutandis", car symptomatique d'une attitude si couramment répandue encore dans le grand public.

Je me trouvais donc dans un autobus parisien, assis en face de deux messieurs qui bavardaient de leurs préoccupations en cours.

L'un deux, confiant à son interlocuteur la manière dont il végétait depuis des années dans sa profession sans la moindre perspective d'avancement futur, poussait cette exclamation : "Ah ! si j'étais franc-maçon !".

Qu'est-ce que la Franc-Maçonnerie ?

On la classe d'ordinaire parmi les groupements qualifiés de *sociétés secrètes*, et bien que cette association fraternelle ne cherche pas du tout à se dissimuler chez nous : non seulement les grandes obédiences figurent en bonne place à l'annuaire téléphonique et au bottin, mais soin répété est soigneusement pris par elles pour se faire dûment connaître.

Comment donc ?

Par le moyen de conférences publiques, données dans des lieux connus de réunion, ou encore dans les locaux maçonniques mêmes.
Il s'agira alors de ce qu'on nomme, en vocabulaire maçonnique, des tenues blanches ouvertes (1).

---

(1) Il faudrait faire le parallèle avec, dans le vocabulaire des armes à feu, l'expression "chargé à blanc". Une tenue blanche ne compte pas dans le calendrier des tenues régulières d'une loge.

La Franc-Maçonnerie se manifeste, qui plus est, à la radio (dans la série des émissions "Aspects de la pensée contemporaine" sur France-Inter) ; parfois même à la télévision, où les grands maîtres sont apparus en personne.

Et sans parler de la manière dont s'exerce le recrutement dans les loges par voie des contacts pris par un maçon auprès d'amis ou de compagnons de travail jugés aptes à être intéressés par cette voie.

Immanquablement, les maçons convaincus parleront de leur Ordre à ceux jugés susceptibles de s'y joindre eux aussi.

Pourquoi ranger donc la Franc-Maçonnerie parmi les sociétés secrètes ? (1)

C'est que, si cette fraternité ne cherche nullement à dissimuler son existence, elle n'en répondrait pas moins au trait caractéristique qui permet de qualifier d'emblée ainsi un groupement, une association : celui de subordonner toujours l'affiliation au passage préalable par un rituel d'initiation (celui qui fait du *profane* un membre de plein droit) axé sur la mise en action d'un symbolisme approprié ; puis de réserver ensuite toutes ses activités, tout son travail caractéristiques à ses seuls membres, en des réunions strictement privées.

D'où la définition psycho-sociologique classique de tout groupement de cette nature : une *société secrète* ne sera pas du tout forcément une association clandestine — mais (c'est là le critère précis et décisif) elle possèdera toujours ses *secrets* propres, sous forme de rituels symboliques.

Mais qu'est-ce donc, en ce domaine des sociétés dites secrètes, que la Franc-Maçonnerie ?

---

(1) Cf Serge Hutin "Les sociétés secrètes" "Que sais-je ?" PUF N° 515.

Le mieux, pour tenter de la comprendre, serait de remonter à ses origines, pour suivre ensuite les grandes lignes de son évolution historique.

D'où serait donc sortie, dans le passé, la Franc-Maçonnerie ?

Quelle en serait l'origine ?

Les historiens divisent en trois grandes périodes l'évolution de la Franc-Maçonnerie jusqu'à nos jours.

Au départ, la période dite *opérative*.

En cette période initiale : une fraternité professionnelle corporative, regroupant des hommes de métiers manuels, une forme de *compagnonnage* donc, celui des bâtisseurs : les maçons proprement dits (tailleurs de pierre) et autres ouvriers hautement qualifiés, sous la supervision de l'architecte ou maître d'œuvre.

Ce sont ces maçons opératifs qui, au Moyen Age, bâtiront nos grandes cathédrales gothiques.

Mais ces hommes ne possédaient pas seulement leurs secrets pratiques du métier, leurs tours de main, comme dans les autres formes de compagnonnage (par exemple celui des travailleurs du bois ou du métal) : ils détenaient aussi des secrets symboliques et rituéliques, mis en action lors de cérémonies secrètes.

Quand à l'épithète *Franc* accolée au substantif Maçon, l'origine en est recherchée par les historiens dans le fait que ces maçons bâtisseurs, travailleurs hautement qualifiés, bénéficiaient de privilèges et de franchises fort enviables par rapport aux autres métiers.

Pour l'étude générale de cette maçonnerie opérative, celle des constructeurs, on se reportera par exemple à l'excellent ouvrage de Paul Naudon : *Les origines religieuses et corporatives de la Franc-Maçonnerie* (aux éditions Dervy-livres).

Un point devrait être soigneusement précisé ici : ce serait totale erreur de nous représenter cette maçonnerie opérative comme ayant groupé les lointains ancêtres de la libre-pensée militante.

Il s'agissait tout au contraire d'hommes profondément croyants, et respectueux de la place privilégiée qu'occupait alors l'Eglise catholique dans la société occidentale du Moyen Age.

A la fin du Moyen Age, commença la seconde période dans l'histoire de la Franc-Maçonnerie : celle dite *de transition* (entre la maçonnerie opérative et la Franc-Maçonnerie sous sa forme moderne, dite *spéculative*).

Que se passa-t-il donc dans cette période, qui va (en gros) du 15ème à la fin du 17ème siècle ?

L'usage s'était établi et ce, dans les diverses formes du compagnonnage professionnel, d'admettre des personnages totalement étrangers à la profession manuelle en cause : des ecclésiastiques, des nobles, des bourgeois que l'on voulait honorer — le plus souvent à titre de soutiens ou de protecteurs.

Ces personnages, n'exerçant pas l'un des métiers de la construction en pierre mais dûment reçus dans l'Ordre, passaient donc, pour y être reçus, par l'initiation symbolique, faisant d'eux ce qu'on appelait des maçons *acceptés*.

Il se passa progressivement ceci durant la transition du Moyen Age aux temps modernes : peu à peu, au sein de cette maçonnerie opérative, à laquelle on faisait de moins en moins appel après la fin des chantiers des grandes cathédrales, ces maçons acceptés finirent par devenir plus nombreux dans les loges que les opératifs — au point de supplanter irrémédiablement ces derniers.

C'est ainsi que nous aboutissons à une troisième période, qui se poursuit de nos jours : celle de la Franc-Maçonnerie *spéculative*.

Désormais, il ne s'agissait plus, pour être admis au sein de cette fraternité, d'appartenir aux maçons bâtisseurs manuels.

N'importe quel homme *libre et de bonnes mœurs* (l'expression consacrée dans les *constitutions* d'Anderson) pouvait être admis désormais.

C'est en 1717 que se constituait la Grande Loge Unie d'Angleterre, à Londres, première puissance maçonnique de la période spéculative.

Mais il faudrait faire intervenir aussi une autre filiation originellement britannique : celle des loges dites *écossaises*, à cause de leur pays d'origine (réelle ou légendaire) et de leurs liens initiaux de fidélité à la dynastie des Stuarts (renversée en 1689 par Guillaume d'Orange).

Retracer ici l'histoire de la Franc-Maçonnerie spéculative nous entraînerait singulièrement hors des limites de cet ouvrage.

Mais il existe des études fort utiles, dont on retrouvera la liste dans la bibliographie de l'excellent petit volume de Paul Naudon : *La Franc-Maçonnerie* (dans la collection Que sais-je ?).

Comme ouvrage de synthèse en un volume aussi court et raccourci, on ne pouvait vraiment faire mieux ; ses références bibliographiques sont très précieuses, au départ même de recherches approfondies.

Nous avions nous-mêmes tenté, sous le titre *Les Francs-Maçons* (édition du Seuil, collection "Le Temps qui court") d'offrir un petit ouvrage de synthèse — malheureusement épuisé depuis 1971 et qui n'a pas encore fait l'objet d'une réédition.

Pour ce qui concerne notre pays, il est un problème historique crucial : celui des rapports entre la Franc-Maçonnerie et la Révolution Française.

Celle-ci fût-elle manigancée et agencée, comme on le croit si volontiers encore (que se soit parmi les adversaires ou les partisans), par les loges maçonniques ?

Il est de fait, nul ne pourrait le nier, que la Révolution de 1789, par ses principes humanistes (qu'illustrera la *Déclaration des Droits de l'Homme et du Citoyen*), avait singulièrement de quoi plaire à nombre de frères.

Mais ne pourrait-on pas les considérer comme ayant en quelque sorte mis le train en marche, plutôt qu'en se faisant les artisans directs de la grande mutation politique et sociale ?

Chose qu'on oublie volontiers de faire observer aussi, cette première Révolution Française — constitutionnelle et parlementaire — n'était nullement républicaine dans son inspiration, mais axée plutôt sur le passage de la royauté absolue à une monarchie constitutionnelle.

Quant à la seconde phase, violente, celle qui débutera au cours de l'été 1792, de la Révolution Française, on y trouve certes des frères à l'œuvre, mais face à ces maçons républicains, il se trouvera (à commencer par le chef vendéen Charette) des initiés parmi les royalistes fervents.

Il y aurait lieu de se poser le problème aussi du rôle décisif, au départ de cette phase violente de la Révolution Française, d'une société secrète paramaçonnique, farouchement subversive elle : celle des Illuminés de Bavière (1), qui s'était machiavéliquement efforcée de "noyauter" diverses loges allemandes puis françaises, mais sans que les puissances maçonniques régulières — qui n'en purent mais — puissent être mises en cause.

---

(1) Ainsi nommée car cette organisation secrète avait pris naissance en Bavière.

Il est une autre période bien volontiers invoquée à propos des collusions politiques ayant tenté la maçonnerie française : celle de la IIIeme République radicale.

On ne manquerait pas de faire remarquer que c'est largement sous l'influence du Grand Orient de France que sera réalisée peu après 1900 la séparation de l'Eglise et de l'Etat et l'installation de la laïcité républicaine.

Il faudrait sans doute, pour espérer une vue impartiale du problème, s'efforcer de voir les choses avec le recul suffisant.

Il y eut certes à la Belle Epoque une vague d'anticléricalisme militant dans une portion notable des maçons français.

Pourtant, il faudrait prendre soin de bien cerner les problèmes et leur résolution plus ou moins heureuse.

Réaliser la séparation de l'Eglise et de l'Etat, ce n'était pas du tout, il faudrait le faire remarquer aussi, vouloir détruire la religion.

Il est même de fait, quand on voit les choses avec le recul suffisant, que l'Eglise catholique s'est finalement fort bien accommodée de cette fameuse séparation de l'Eglise et de l'Etat (1).

Je ne pense pas que, sauf chez les catholiques d'extrême-droite (les disciples de l'abbé de Nantes, par exemple), le clergé français souhaiterait un retour à la reconnaissance légale du catholicisme comme religion d'état en France !

Venons-en maintenant à la Franc-Maçonnerie telle qu'elle se présente actuellement en France.

Il importe de bien souligner, c'est important, qu'il n'existe pas dans notre pays d'organisme maçonnique central qui serait homogène et monolithique.

---

(1) Jésus avait dit lui-même de rendre à César ce qui est à César et à Dieu ce qui est à Dieu.

La maçonnerie se trouve chez nous (en d'autres pays aussi) divisée entre plusieurs *obédiences*, aux effectifs allant de plusieurs dizaines de milliers de membres pour les plus importantes d'entre elles à des chiffres bien moins élevés pour les petites puissances maçonniques.

On trouvera une liste sans doute complète des obédiences actuellement actives en France dans l'encyclopédie QUID, chez Robert Laffont.

Liste que l'on pourrait sans doute compléter davantage encore par la nomenclature, vraiment exhaustive, (nulle puissance maçonnique, même minuscule en effectif, n'y est oubliée) que donne le volume intitulé : *Guide pour un Futur Franc-Maçon (1)*.

Nous nous bornerons, dans le cadre de cet ouvrage qui vise à donner une simple présentation générale, à passer en revue les obédiences maçonniques les plus importantes — et sans prétendre, insistons y, les classer par ordre de valeur (tout lecteur peut écrire aux sièges respectifs des obédiences pour leur demander de la documentation).

Il y a, des obédiences aux effectifs strictement masculins (par fidélité à l'article des *Constitutions* d'Anderson, lesquelles excluent les femmes de l'entrée en maçonnerie) :

- Grand Orient de France,
- Grande Loge de France,
- Grande Loge Nationale française Neuilly (1),
- Grande Loge Nationale Opéra (2).

Il y a les puissances maçonniques comportant, elles, des loges masculines (en écrasante majorité) mais également quelques loges féminines rattachées à la même puissance. Par exemple, le rite de Memphis-Misraïm.

---

(1) Editions du Rocher, en vente dans toutes les librairies ésotériques.
(1) Du lieu du siège social
(2) idem.

Il y a aussi (cas plus nombreux) les obédiences mixtes, où, comme l'épithète l'indique, hommes et femmes travaillent ensemble ; la principale est le Droit Humain.

Il y a enfin la Grande Loge Féminine qui, comme son nom le souligne, ne groupe que des femmes (mais, détail à noter, les frères sont admis en *visiteurs* dans ses ateliers ; l'inverse, visite des sœurs dans une obédience masculine, n'étant pas admis).

Il existe même une petite obédience, l'Heptagone, au recrutement strictement féminin — et dans les loges de laquelle les frères n'ont aucun droit de visite.

Il est significatif de remarquer que depuis le rétablissement légal, après la libération de 1944 (la Franc-Maçonnerie avait été interdite par le régime de Vichy, c'est elle que visait un décret d'automne 1940 dit *loi sur les sociétés secrètes*), les effectifs maçonniques n'ont cessé de grandir en France.

Il ne s'agit donc pas en notre pays d'un phénomène éphémère, et d'autant plus que la proportion des éléments jeunes occupe une part importante du dit recrutement.

Toutes obédiences (grandes ou petites) confondues, l'effectif total doit dépasser le chiffre, non négligeable on le voit, d'un peu plus 100 000 ou 150 000 membres (1).

Pour éliminer d'emblée l'image si répandue encore de l'entrée en maçonnerie qui, croit-on, ouvrirait toutes grandes les portes de la réussite professionnelle, d'une promotion fulgurante, d'un avancement vertigineux, il conviendrait de bien remarquer que tous ces frères et sœurs ne sont pas, et bien loin de là, des "chefs", des "gagneurs", pour parler comme Bernard Tapie, réussissant magnifiquement dans une carrière !

---

(1) En ne comptant que les éléments stables, sans tenir compte des adhésions éphémères qui se rencontrent là comme ailleurs.

Devenir maçon n'empêche nullement, insistons-y, de connaître éventuellement de durs problèmes professionnels et financiers, comme tout le monde...

La caractéristique majeure de la Franc-Maçonnerie consiste, cela est d'ailleurs le propre de toute fraternité initiatique, en l'observance de rituels secrets (seuls les membres y ont accès), qui mettent en action divers symboles.

Essayons de nous reconnaître un peu dans tous ces *secrets* propres à la Franc-Maçonnerie.

Les maçons *opératifs* du Moyen Age, auxquels leurs successeurs modernes, les *spéculatifs*, ont emprunté leur héritage, pratiquaient leurs rites symboliques traditionnels axés, cela se comprend aisément, sur une structure motrice centrale, un schéma dynamique directeur : la construction, l'édification.

Un rôle central y était joué par la référence biblique à l'édification du temple de Salomon à Jérusalem, sous la direction de l'architecte Hiram.

Cette légende centrale se retrouve dans la Franc-Maçonnerie moderne.

De la construction matérielle sacrée, on passe aisément, par transposition spirituelle, à une généralisation de l'idéal bâtisseur : la construction, l'édification symbolique du Temple, c'est-à-dire aussi bien (en parallèle) celle de l'homme individuel, idéal, parfait, que celle du Temple cosmique, de l'humanité dans son ensemble.

Grand Oeuvre voué à demeurer en fait toujours inachevé : son achèvement coïnciderait — but ultime qui se situera toujours derrière l'horizon que l'on peut atteindre, et donc voué à être recommencé inlassablement sans cesse remis en chantier — avec l'atteinte de la perfection totale réalisée enfin par toute l'humanité, pour tous les hommes.

On comprend fort bien l'importance du symbolisme maçonnique de base qu'est celui des outils mêmes de la construction : l'équerre, le compas, le niveau, la règle, la perpendiculaire, le ciseau, le maillet, etc...

Pourtant deux autres composantes traditionnelles se trouvent intégrées en profondeur à ce symbolisme fondamental de construction, et d'une manière tellement étroite qu'elles en seraient désormais inséparables.

Il y a, tout d'abord, le symbolisme chevaleresque : celui dont se trouvent porteurs les épées, les glaives.

La consécration d'un nouveau maçon par le Vénérable constitue bel et bien un véritable adoubement.

Mais comment expliquer donc cet apport chevaleresque traditionnel au rituélisme maçonnique ?

Après tout, les épées n'avaient nul rapport directement visible et concevable avec le symbolisme des outils de la construction !

C'est une belle légende compagnonnique, toujours vivante chez les actuels compagnons du Devoir, qui nous livrerait la clef du mystère : celle des *tours inachevées* — titre d'un splendide roman écrit par Raoul Vergez (chez Julliard) —, qui était orfèvre s'il en fût en matière de traditions compagnonniques.

Il est bel et bien un fait hautement significatif : l'abandon subit au 15eme siècle des chantiers de diverses cathédrales.

Cela se constate fort bien pour Notre Dame de Paris et Notre Dame de Reims.

Nous sommes certes habitués depuis des générations à la forme carrée des deux grandes tours de leur façade.

Mais celle-ci sont en fait demeurées inachevées : comme à Chartres, elles eussent dû être surmontées chacune d'une flèche, coiffées respectivement du soleil au sud et de la lune au nord.

Que s'était-il donc passé ?

Les maçons bâtisseurs, ces édificateurs des grandes cathédrales, œuvraient sous la haute protection d'un Ordre religieux et militaire qui n'est certes nullement prêt à cesser de fasciner notre imagination et bien de nostalgiques souvenirs : les Chevaliers du Temple.

Que se passa-t-il donc ?

On sait l'odieuse machination de Philippe IV — Le Bel — et l'inique procès qui, avec l'aval lâchement donné par le pape Clément V, aboutit à la dissolution de l'Ordre, privant ainsi les maçons bâtisseurs du si précieux soutien par les moines chevaliers au blanc manteau.

Il nous demeure donc pleinement loisible d'attribuer aux prestigieux templiers (dont certains trouveront refuge après le procès au sein des corporations de bâtisseurs) l'introduction en maçonnerie d'un symbolisme qui venait s'ajouter à celui des outils de construction.

Notons aussi une troisième composante qui devait elle aussi s'intégrer au symbolisme "constructiviste" de base (1) : trois symboles sacrés, "religieux" (au sens à la fois large et précis du terme, par delà les rattachements confessionnels). Il s'agit essentiellement : du DELTA lumineux et rayonnant (le triangle qui porte figuré en son centre soit le nom hébraïque de quatre lettres (le Tétragramme) soit le hiéroglyphe égyptien de l'œil divin ; du Soleil, principe masculin ; et de la Lune, principe féminin (2).

---

(1) Pour user du néologisme forgé par un éminent penseur classique de la maçonnerie : Oswald Wirth

(2) Symbolisme polaire renforcé par la présence à l'entrée du Temple de Salomon des 2 colonnes, masculine et féminine.

On pourrait remarquer que le symbolisme maçonnique, dans ces trois composantes étroitement liées l'une à l'autre, semble rassembler, unifier symboliquement les secrets complémentaires détenus par les trois couches indispensables d'une société traditionnelle : les prêtres ou sages, les chevaliers — cette forme noble des guerriers, les artisans.

Ce serait le lieu de rappeler ici l'idée si chère à René Guénon, suivant laquelle la Franc-Maçonnerie représenterait, au cœur même de l'actuelle fin de cycle (avec l'apogée terrible du règne de la quantité), une authentique survivance de la Tradition intemporelle.

La Franc-Maçonnerie comporte tout naturellement les trois grades compagnonniques : l'Apprenti, le Compagnon, le Maître.

Mais, à cette assise corporative, certains systèmes (citons : le Rite Ecossais Ancien et Accepté, le plus pratiqué dans le monde ; le Rite Français ; le Rite Ecossais Rectifié) superposent une série de hauts grades maçonniques, pratiqués dans des loges spéciales, les *ateliers supérieurs*, que dirige une puissance maçonnique spéciale, coiffant les loges des trois premiers degrés.

Par exemple, au-dessus des ateliers bleus de la Grande Loge de France : le Suprême Conseil ; au-dessus de ceux du Grand Orient de France : le Grand Collège des Rites.

Précisons bien qu'il s'agit de puissances administratives qui ne peuvent légiférer que dans les ateliers au-delà du troisième degré, et non pas d'inquiétantes "arrière-loges" (pour user de cette expression qui fit la fortune de l'antimaçonnisme à la Belle Epoque) qui exerceraient un pouvoir feutré et autocratique tout à la fois sur les loges de la base.

L'étude spéciale des hauts grades nous amènerait à poser des problèmes particuliers aptes à nous accaparer longuement.

Un problème se poserait : celui, complétant l'apport fondamental (et irremplaçable) des trois premiers degrés, posé par l'incorporation par la maçonnerie de traditions ésotériques telles que l'alchimie de la Rose-Croix, avec ce fameux 18eme degré du Rite Ecossais Ancien et Accepté, ou comme la Kabbale.

En quoi l'originalité de la voie traditionnelle que propose la Franc-Maçonnerie aux hommes d'aujourd'hui, quelle que soit l'obédience en cause ?

Nous allons tenter de vous la faire saisir, bien imparfaitement certes, et en insistant bien sur ceci : lorsqu'on prétend décrire verbalement, intellectuellement quelque chose qui, avant tout, doit se vivre, être éprouvé, on tombera aisément dans les périls de l'arbitraire.

Nous allons pourtant le tenter !

En nous rendant bien compte (cette comparaison par trop facile nous viendrait tout de suite à l'esprit) qu'autre chose est lire simplement un manuel de gymnastique et, tout au contraire, pratiquer ladite discipline active.

Pourquoi la Franc-Maçonnerie se trouve-t-elle rangée dans la catégorie des sociétés secrètes ?

Parce que, comme tous les groupements de ce genre, elle détient un ensemble de secrets, d'ordre rituel.

Il y a essentiellement les rite de l'*initiation* (nom de la cérémonie), ceux par lesquels devra passer le profane pour s'intégrer au groupe.

C'est là que se situent ce qu'on appelle les *épreuves*, subies par le récipiendaire avant de recevoir la lumière.

A cet égard, la Franc-Maçonnerie n'apparaîtrait nullement à l'historien comme cas unique : bien que toujours vivante et active dans le monde contemporain, elle s'insèrerait dans la ligne d'une très longue histoire sacrée, elle nous obligerait à remonter aux caractéristiques essentielles des mystères antiques.

A propos des rituels secrets pratiqués dans un sanctuaire, près d'Athènes, à Eleusis en Grèce antique, on disait fort pertinemment qu'ils comportaient trois éléments dans leur rituélie secrète : les "paroles" (*legomena*), "l'action" (*dhromena*) c'est-à-dire la marche périlleuse des récipiendaires à travers les épreuves, leur traversée des ténèbres — puis l'échappée émerveillée vers la lumière illuminatrice) et aussi "les choses montrées" (*dhecknymena*).

On retrouverait immanquablement ces trois composantes dans le déroulement de l'initiation maçonnique.

Mais des secrets rituels se retrouvent aussi en maçonnerie au niveau du cérémonial courant et régulier des *tenues* (réunions).

Les profanes avidement curieux de découvrir "les secrets" de la maçonnerie disposent aujourd'hui d'un nombre fort considérable (c'est le moins qu'on puisse dire) d'ouvrages traitant des cérémonies des divers degrés, des mots sacrés, etc...

Citons, entre autres, les livres classiques — œuvres de maçons français éminents, de Jules Boucher (*L'initiation maçonnique* constamment réédité chez Dervy-Livres), d'Oswald Wirth — le maître de Marius Lepage —, de Jean-Pierre Bayard (aux éditions Edimaf et chez Dangles) de Christian Jacq (aux éditions Du Rocher) etc...

Il y a aussi toute la floraison des divulgations systématiques de rituels, comme, cas significatifs, les publications sous l'occupation (1940-44) des services antimaçonniques du régime de Vichy (1) réalisées d'après les documents et les archives saisis dans les loges et sièges centraux des obédiences.

Pourrait-on dire que, du fait de cette masse de révélations et divulgations, il n'y ait plus désormais de vrais "secrets maçonniques", sinon de pure convention ?

---

(1) C'est ainsi, pour ne citer qu'un seul exemple de ce genre de littérature que sous le régime de Vichy, Jean Marquès Rivière (un maçon renégat) publiera un livre intitulé *Les rituels secrets de la Franc-Maçonnerie*".

Les maçons feront toujours remarquer, fort pertinemment, que ce fait d'avoir si délibérément livré en pâture "les secrets de la Franc-Maçonnerie" à la curiosité intempestive du monde profane n'aboutit pas du tout à une fin totale et définitive du véritable *secret maçonnique*.

Bien au contraire, celui-ci ne demeurerait-il pas — les porte-paroles de la maçonnerie n'auront cesse d'y insister — *incommunicable*, par nature et toujours ?

Pour le connaître, ne faudrait-il pas avant tout le vivre ?

Nous retomberions tôt ou tard sur notre image —bien facile certes, mais si commode et suggestive — de la lecture d'un manuel de culture physique confrontée à la pratique.

Même en l'apprenant par cœur, on n'aboutirait jamais à un équivalent de la mise en pratique !

Revenons à l'idée même de société secrète.

Des groupements de ce genre, il en a existé et il en existe (et il en existera toujours, pourrions-nous ajouter car ce phénomène sociologique semble bel et bien répondre à des constantes spéciales mais irrésistibles du psychisme humain) maints exemples.

Il importerait pourtant d'effectuer les distinctions nécessaires.

Il faudrait classer les diverses sociétés secrètes d'après leurs buts, lesquels pourront aller en fait du pire au meilleur.

On rencontrerait ainsi les sociétés secrètes criminelles, politiques, religieuses, etc...

Compte tenu certes des interférences historiques possibles d'une catégorie à une autre.

C'est ainsi que, si la Franc-Maçonnerie s'est toujours voulue — dans ses buts explicites comme dans sa structure propre — strictement apolitique, il serait vain de ne pas tenir compte d'époques — à la Révolution Française notamment — où les tentations d'une action politique dans le monde s'avèrera trop forte pour nombre de frères.

Jean Baylot avait même pu parler, à ce propos, de la *voie substituée* (expression prise pour titre de l'un de ses ouvrages) : celle de l'engagement politique prenant la place de la Tradition ésotérique.

Qu'est ce qui caractériserait donc la nature propre de la Franc-Maçonnerie traditionnelle ?

Essentiellement, dirions-nous, le fait que, loin d'être un simple accompagnement rituel destiné à agir en profondeur sur le psychisme des membres à conditionner (comme c'est le cas dans les organisations secrètes criminelles, strictement politiques, etc...), c'est le rituélisme initiatique même, mis en action dans les loges maçonniques, qui constitue le but par lui-même de la dite organisation fraternelle.

Il est au surplus une constante remarquable : le fait significatif que, si les auteurs successifs des rituels maçonniques en usage les ont manié, agencé, combiné ou même trafiqué parfois de diverses manières, les rites et symboles eux-mêmes se révèleront en fin de compte — précieux gages d'authenticité traditionnelle suivant René Guénon — toujours intemporels, atemporels, surpratemporels.

Il s'avèrerait impossible de leur assigner une origine conventionnelle précise : il serait irrémédiablement impossible de réussir à remonter jusqu'au personnage ou jusqu'au petit groupe qui à une époque déterminée aurait "inventé" de toute pièce tel ou tel symbole, pour présenter et manier tel ou tel rite destiné à le mettre en action.

Voie rituelle, la Franc-Maçonnerie se caractériserait également — second trait majeur — par son absence totale de dogmatisme.

Il ne s'agit absolument pas (il faut bien y insister) d'une organisation qui serait dépositaire d'un ensemble de doctrines précises, à l'acceptation absolument obligatoire pour ses membres.

Au sein de la maçonnerie se côtoient des croyants (et même aussi de très sincères pratiquants) venus des divers horizons spirituels, mais également des sujets voulant demeurer indépendants de toute croyance précise en Dieu, pour n'invoquer que le Grand Architecte de l'Univers ou l'Idéal de Perfection.

Est-ce-à-dire que la Franc-Maçonnerie ne serait qu'une sorte de club, de foyer de rencontre où les gens des bords idéologiques opposés accepteraient d'emblée de se tolérer les uns les autres et même de dialoguer, d'échanger des idées ?

Ce ne serait d'ailleurs nullement négligeable quand on constate, sans nul besoin d'avoir à remonter dans le passé, l'enracinement et le déchaînement actuels de l'intolérance et du fanatisme chez les humains !

La Franc-Maçonnerie ne possède pas de dogmes, de vérités absolues qu'elle prétendrait imposer ; elle n'a même pas de doctrine ou de système.

Est-ce-à-dire qu'elle n'enseignerait résolument, absolument... rien ?

Ce serait totale erreur de le penser !

La voie maçonnique, quelle que soit l'obédience et du moment que l'individu saura y travailler avec sincérité et persévérence, apporte à celui qui la vit une véritable formation, apte à le transformer peu à peu, lentement, d'une manière positive.

On pourrait dire que la maçonnerie constitue une voie *humaniste* par excellence, car elle permet à l'être humain —du fait même de le faire s'insérer de mieux en mieux au travail rituel collectif — de se libérer peu à peu des tendances négatives, d'œuvrer à *dégrossir les aspérités de la pierre brute* (comme on le dit si pertinemment en langage maçonnique).

Descendre au tréfond de nous-mêmes jusqu'au niveau où transparaîtrait enfin le Noyau caché que recouvrent les phantasmes de l'Ego.

S'insérer dans la grande *chaîne d'union*, dont le rite maçonnique qui porte ce nom ne constitue qu'une belle symbolisation concrète, des bâtisseurs du Temple de l'Humanité, travailler donc à l'édification progressive (toujours sans cesse à recommencer) du Temple de l'Humanité... "rassembler ce qui est épars", "organiser le chaos" (*ordo ab chao*, devise du Suprême Conseil du Rite Ecossais Ancien et Accepté — deux expressions traditionnelles, singulièrement révélatrices, lourdes de sens profond et pratique.

Il n'y a pas en maçonnerie de "doctrine" précise, de "système" méthodique à apprendre.

Et pourtant, la maçonnerie offre à ses membres le moyen — justement par le maniement des précieux outils initiatiques mis à leur disposition — de *se construire* eux-mêmes, d'édifier ainsi une philosophie vivante — toujours à recommencer sur soi-même, jamais fermée et toujours ouverte.

Qu'on lise à cet égard le témoignage d'un grand maçon *passé à l'Orient Eternel* (telle est l'expression symbolique usitée en maçonnerie pour désigner le passage au-delà de la vie présente) il y a quelques années : Richard Dupuy, qui fût à plusieurs reprises Grand Maître de la Grande Loge de France.

Lisons ce livre admirable intitulé *"La foi d'un Franc-Maçon"* et nous serons édifiés de la voie qu'il suivit avec tant de ferveur — et qui s'offre, insistons-y — à tous ceux, et quelle que soit l'obédience choisie, qui choisissent d'entrer en maçonnerie et d'y demeurer fidèles.

Le simple rappel des années sombres de l'occupation suffirait à nous rappeler que la maçonnerie eut (mais elle en a encore) des ennemis impitoyables.

Comme expliquer un tel acharnement ?

En fait, l'hostilité furieuse d'une idéologie totalitaire contre les "frères trois points" s'explique d'emblée, et fort bien !

Une idéologie totalitaire s'estime dépositaire souveraine de ce qu'il "faut" que les hommes croient, admettent, pratiquent.

Mais justement, la Franc-Maçonnerie ne serait-elle pas — et par nature même — le contraire, l'opposé total du conditionnement, de l'endoctrinement ?

N'enseigne-t-elle pas, par exemple, et jamais par l'intimidation, comment penser librement, comment demeurer toujours homme libre dans ses jugements et par nos prises de position ?

Tout totalitarisme, lequel prétend imposer aux hommes ce qu'il leur faut croire et faire, ne pouvait donc que devenir ennemi mortel de la maçonnerie...

Pour terminer, nous évoquerons le problème des relations, si longtemps dans l'impasse, entre l'Eglise catholique et les obédiences maçonniques.

Ces rapports sont longtemps demeurés troubles et orageux, c'est le moins qu'on puisse dire.

Et chacun sait aussi, que tout au moins en théorie, le catholique devenant franc-maçon tombait sous le coup de l'excommunication.

Cela entraînait en principe le refus aux funérailles des obsèques religieuses — en théorie du moins car, outre les cas célèbres "d'oubli" de la prescription canonique (lors des obsèques nationales du maréchal Joffre à Notre Dame de Paris, après la grande guerre, le clergé de la cathédrale avait fait mine de ne pas remarquer les insignes maçonniques posés bien visiblement sur le cercueil du défunt), il y avait de nombreux cas où le clergé ignorait même l'éventuelle qualité maçonnique du défunt.

Mais aujourd'hui ce problème des éventuelles funérailles religieuses d'un Franc-Maçon a disparu.

Il n'existe plus guère d'antimaçonnisme au sein de l'Eglise catholique, que dans les factions d'extrême-droite comme le mouvement de l'abbé de Nantes par exemple.

Vis-à-vis du Vatican, la situation s'est trouvée normalisée *une fois pour toutes* depuis quelques années.

Une circulaire de la Congrégation curiale qui a pris après Vatican II la suite (mais avec, en fait les anciennes prérogatives) du Saint Office précisait noir sur blanc que l'excommunication n'aurait force et vigueur qu'interprêtée *à la lettre*, c'est-à-dire en cas d'adhésion délibérée du franc-maçon à une organisation secrète travaillant explicitement à la destruction du christianisme et de l'église romaine.

Rien ne s'oppose donc plus, en conscience, à l'entrée en maçonnerie d'un catholique, qu'il soit simple, croyant ou pratiquant affirmé.

Il était résolument impossible, précisons-le haut et fort, d'espérer vous donner par ce modeste exposé un panorama d'ensemble de la Franc-Maçonnerie, de la passer en revue avec toute la précision souhaitable, de cerner ces buts et ses travaux, de caractériser pleinement ses aspirations.

La croissance des effectifs de la Franc-Maçonnerie — pas seulement d'ailleurs en France mais dans tous les pays où elle se trouve autorisée et implantée — suffirait à montrer (et d'autant plus que c'est en grande partie, mais pas exclusivement notons-le, chez les éléments jeunes que cette attirance se fait) qu'il ne s'agit pas du tout d'une institution dépassée — laquelle ne serait que pittoresque survivance d'une période irrémédiablement révolue.

Tout au contraire, il s'agit d'un itinéraire humain et spirituel qui demeure toujours vivant.

Tout laisse même à penser que, si l'humanité franchit (par delà menaces et crises, par delà les destructions apocalyptiques — toujours possibles, hélas !) le seuil de l'an 2000, la Franc-Maçonnerie sera, s'il s'installe ce 21eme siècle auquel faisait allusion André Malraux (rappelons sa boutade fameuse : ("Le 21eme siècle sera spirituel ou ne sera pas"), l'une de ses composantes ne pourra qu'être, nous n'en doutons pas, la Franc-Maçonnerie.

HISTOIRE
ENIGMES, DESTIN
DE L'ORDRE
DES TEMPLIERS

LES MOINES CHEVALIERS AU BLANC MANTEAU

Si nombre de documents templiers ont, peu à peu, disparu au fil des âges, ce qui en subsiste demeure considérable dans la chrétienté d'Occident.

Pour ne citer que la France, où l'Ordre ne comptait pas moins de 2000 commanderies d'importances diverses, les vestiges templiers demeurent encore si nombreux qu'il s'est révélé possible à plusieurs érudits (Daniel REJU et d'autres) de publier des "guides" spécialisés.

Nous ne citerons qu'un seul exemple car hautement révélateur, sans doute, de ce que fut l'implantation de l'Ordre du Temple dans les Cévennes.

En la vieille cité cévenole d'Anduze, qui était le cœur de leur implantation en ce secteur, on trouve en plein centre une énorme commanderie quadrangulaire flanquée d'échauguettes latérales ; elle se trouve aujourd'hui partagée entre une gastronomique "Auberge des Templiers" et divers édifices municipaux.

Mais ce n'est pas tout : à la sortie de la ville, se dresse un ancien château-fort des chevaliers, et plus loin, une basilique (ancienne église templière) surmontée de la croix pattée.

Mais quelques mots d'histoire s'imposent ici.

C'est en 1118, à Jérusalem, que neuf chevaliers — parmi lesquels Hugues de PAYEN, le Comte de Champagne et André de MONTBARD (l'oncle de Saint Bernard de CLAIRVAUX) — "amis de Dieu et ordonnés à son service (cédons la parole au chroniqueur Jacques de VITRY) — renoncèrent au monde et se consacrèrent au Christ, par des vœux en 1129 devant le Patriarche de Jérusalem, ils s'engagèrent à défendre les pèlerins qui se rendaient au Saint Sépulcre, contre les brigands et ravisseurs, à protéger les chemins et à servir de chevalerie au nouveau roi".

Pourquoi ce nom d' *Ordre du Temple* ? Parce que, sur l'ordre de Baudoin II, roi franc de Jérusalem, les chanoines réguliers et l'abbé du Saint Sépulcre leur cédèrent un terrain situé, non loin du Palais Royal, sur l'ancienne superficie du temple de Salomon, détruit par les Romains lors de la prise de Jérusalem.

L'originalité du nouvel Ordre — dont les effectifs deviendront vite très nombreux bien au-delà des plus grands espoirs des neuf fondateurs — était de rassembler des moines-chevaliers.

Ils devaient, certes, recevoir une formation militaire poussée, exactement semblable à celle des chevaliers laïcs — mais ils étaient aussi astreints aux trois vœux monastiques de pauvreté, de chasteté et d'obéissance.

Pour ce qui concerne le vœu d'obéissance, Saint Bernard le caractérisera fort bien : "Ils (les templiers) vont et viennent sur un signe de leur commandeur : ils portent les vêtements qu'il leur donne, ne recherchent ni d'autres habits ni d'autre nourriture".

Les instructions reçues devaient être exécutées aveuglément, sans discussion possible.

Pour concrétiser le vœu de pauvreté, le sceau de l'Ordre du Temple montrera deux hommes qui partagent, pour combattre, le même cheval.

Image toute symbolique, car une telle façon de combattre eut été fort incommode.

Mais, par delà ce symbolisme si naïf, il s'avèrerait nécessaire d'en discerner un autre, plus profond : les deux chevaleries, chrétienne et musulmane, servant en fait le même idéal spirituel.

On aura remarqué que le but de l'Ordre consistait en la protection des voyageurs se rendant aux Lieux Saints, et non pas en une Guerre Sainte contre l'Islam.

C'est un point à ne pas perdre de vue, même si les moines-chevaliers auront effectivement beaucoup à guerroyer contre les sarrazins.

Cédons à nouveau la parole Saint Bernard. Dans son *"De laude novae militae"* (louange de la nouvelle milice), il précisait : "... dans le monde, (...) elle mène un combat double, tantôt contre des adversaires de chair et de sang, tantôt contre l'esprit du mal dans les cieux".

La règle de cet Ordre, à la fois monastique et militaire donc, préparée par le Patriarche de Jérusalem et Hugues de PAYEN, sera rédigée par Saint Bernard lui-même.

Approuvée au concile de Troyes (1128), elle sera complétée à celui de Pise (1134).

Rappelons la superbe devise templière : *Non nobis, Domine, non nobis sed nomine tuo da gloriam* (Non pour nous, Seigneur, mais pour la gloire de ton nom).

Chacun connaît aussi le superbe manteau blanc, à la croix pattée rouge, porté par les moines-chevaliers.

L'Ordre du Temple prendra vite extension, connaîtra une croissance d'effectifs de plus en plus considérable.

Chose remarquable, cette incessante et rapide progression ne disparaîtra nullement après la reprise de la Terre Sainte par les sarrazins (1187, perte de Jérusalem ; 1291, reconquête musulmane de la dernière place forte tenue par les Chrétiens : Saint Jean d'Acre).

Pourquoi donc ?

Parce que l'Ordre du Temple n'avait pas tardé à s'implanter aussi dans tous les pays de la chrétienté.

Parce que les moines-chevaliers avaient vu leur mission s'étendre, en fait, à une protection active de tous les pèlerins chrétiens, pas seulement ceux se rendant en Palestine : ils veilleront donc aussi à la protection de ceux qui pérégrinaient à l'intérieur des terres chrétiennes, tout spécialement vers le tombeau de l'apôtre Saint Jacques le Majeur, à Compostelle.

Cela supposait non seulement, dans les dites terres, une implantation méthodique sur le plan militaire, mais aussi la construction de routes et de ponts, sans compter l'établissement d'hostelleries le long du parcours pour héberger les voyageurs.

Mais cette protection ainsi offerte par les chevaliers au blanc manteau ne s'étendra pas aux seuls pèlerins, mais en fait à tous les voyageurs, même ceux circulant pour leur négoce.

Les templiers possèderont même une double flotte, aux unités réparties entre la Méditerranée et l'Atlantique (avec pour port principal LA ROCHELLE).

Après la perte de la Terre Sainte, l'Ordre conservera ses bureaux et comptoirs en Terre Sainte, prendra même en main une grande partie des échanges commerciaux entre l'Occident chrétien et les pays islamiques.

Il y aura mieux encore : les moines-chevaliers se feront banquiers, et leur puissance deviendra formidable de ce fait.

Car si, individuellement, chaque templier faisait vœu de pauvreté, cela ne s'appliquait nullement à la richesse, anonyme et impersonnelle, de l'Ordre dans son ensemble.

L'origine de cette formidable puissance bancaire tiendra à ceci : l'utilisation méthodique sur une immense échelle, dans tout le monde méditerranéen comme en Europe chrétienne, d'un système certes déjà mis au point par les banquiers lombards, mais que ceux-ci n'avaient pas su porter au développement colossal que lui donnera le Temple.

C'était le système, aux immenses avantages pratiques, de la lettre de change.

Non seulement, au cours des interminables voyages nécessaires à l'époque médiévale, transporter sur soi des fonds considérables était encombrant et fastidieux (il n'y avait alors ni chèques ni même de simples billets de banque) mais cela s'avèrait volontiers aléatoire pour les intéressés.

L'insécurité pesant sur les voyageurs n'était nullement un danger illusoire !

Voici donc l'avantage si commode que généralisait le Temple : tout voyageur, à son lieu de départ, n'avait qu'à déposer les fonds dont il disposait ; il recevait en échange un document qu'il présentait à son arrivée au bureau templier de son lieu d'arrivée, en échange de quoi il récupérait intégralement et sans histoire la dite somme, compte tenu certes d'un modique taux d'intérêt.

L'immense multiplication de ce système aboutissait à la création, au profit de l'Ordre du Temple, d'un système international de dépôts, paiements et crédits.

Outre cette puissance bancaire de plus en plus énorme, les templiers surent admirablement gérer leurs terres et les autres biens de l'Ordre, ainsi qu'assurer une sage supervision des échanges commerciaux par eux assurés.

Ils établissaient aussi, çà et là, de grands marchés.

Cette richesse collective de l'Ordre était vite devenue proverbiale. Et cela permettra aux chevaliers de faire construire nombre d'édifices religieux de l'époque gothique, y compris d'altières cathédrales.

Le Temple n'était-il pas devenu le grand protecteur des corporations de maçons et architectes ?

On a estimé qu'à l'époque du procès intenté par Philippe le Bel, et dans le seul royaume de celui-ci, les revenus réguliers de l'Ordre du Temple s'élèveront à plusieurs millions de l'unité monétaire d'alors, tandis que le roi de France ne tirait qu'environ 800 000 francs de son domaine.

Le Temple n'avait pas moins de 9000 commanderies réparties dans toute la chrétienté — dont, nous l'avons vu, 2000 en France.

Et, outre ces commanderies, il y avait ce qu'on appelait les granges, vastes exploitations agricoles ou forestières.

Il faudrait remarquer, à ce propos, qu'autour des templiers proprement dits (1), beaucoup de gens se trouvaient en fait dépendre directement d'eux.

Il y avait tout d'abord, servant militairement à terme et ne prononçant pas les vœux monastiques, les sergents, portant le manteau brun.

Il y avait aussi, dans les diverses commanderies, des paysans ainsi que des artisans et des frères de métier au service du Temple.

---

(1) Les chevaliers formant la milice du Temple, plus les chapelains (dont le manteau blanc était pourvu d'une pèlerine à capuchon).

Et, rappelons qu'à Paris, tous les travailleurs établis dans le quartier dit *du Temple* car dépendant directement de l'Ordre, se trouvaient affranchis de ce fait des obligations (fiscales ou autres) dues au souverain par tous les autres sujets de France.

★
★ ★

LES EGLISES TEMPLIERES

Un mot des édifices religieux des templiers.

Laissons de côté ceux, parfois considérables, qui seront bâtis sous leur supervision (1) pour ne toucher que les églises templières proprement dites.

Chacune des commanderies possédait son église ou chapelle, plus ou moins importante certes suivant l'importance des premières.

La plupart de ces édifices sont de forme quadrangulaire (celle d'un *carré long*, comme on disait jadis en langage corporatif).

Comme dans les édifices cisterciens, dépouillement extrême.

Aucune image, à l'exception de minuscules visages humains (aux yeux ouverts ou fermés selon leur situation) qui se trouvent placés à la naissance des croisées d'ogives.

---

(1) Ce sera le cas de toutes les cathédrales gothiques.

On parle beaucoup plus des chapelles ou églises *octogonales* templières superbement décorées.

Elles n'existaient qu'en nombre très limité, dans les seuls centres templiers d'une particulière importance.

En France, il subsiste celles de Laon et de Metz, cette dernière totalement restaurée y compris dans sa superbe décoration géométrique picturale.

Mais l'un des exemples les plus importants de ces édifices octogonaux se trouve à Londres : l'actuelle église du *Temple* n'y est autre que celle de l'ancienne forteresse des chevaliers dans le royaume d'Angleterre.

Pourquoi donc ces édifices à huit côtés ?

Parce que le nombre huit — celui des huit béatitudes christiques, dans le sermon sur la Montagne — était particulièrement cher aux templiers.

Remarquons que, si l'on trace une ligne entre les huit pointes de leur croix templière (la croix pattée), on obtient le tracé précis d'un octogone (1).

(1) Cela donnerait, d'après C.G. Addisson (*Knigths Templars, New-York, Masonic Publishing Company ; 1853*), la clef d'un alphabet secret.

LE PROCES

Arrivons-en à l'inique procès.

Le roi de France avait fort bien caché son jeu !

C'est le 22 septembre 1307 que les ordres royaux d'arrestation de tous les chevaliers du Temple dans leurs diverses commanderies quittaient Paris.

Les destinataires des dites instructions — les fonctionnaires royaux de justice et de police — avaient pour instruction expresse de ne les décacheter que dans la nuit du 12 au 13 octobre, la vaste opération étant donc programmée pour l'aube du 13.

Cela n'empêchera pas Philippe le Bel, dans la journée même du 12 octobre 1307 (quelques heures à peine avant l'ouverture des dites instructions), de marcher avec flegme au côté de Jacques de MOLAY, Grand Maître du Temple (1), pour tenir les cordons du poële lors des funérailles de Catherine de COURTENAY, épouse de Charles de Valois.

L'ordre royal d'arrestation se trouvait par un réquisitoire particulièrement accablant, rédigé d'ailleurs (précisons-le) non pas par le souverain lui-même mais par son âme damnée, le Garde des Sceaux, Guillaume de NOGARET : "Quand les templiers entrent dans l'Ordre et font leur profession, on leur présente un crucifix et — par un malheureux, que dis-je, un misérable aveuglément — ils le renient trois fois, en lui crachant à la face, Puis ils se dépouillent des vêtements qu'ils portent dans le siècle et s'offrent nus à leur visiteur ou à son remplaçant chargé de la réception ; ils sont conformément aux rites profanes de leur Ordre et au mépris de la dignité humaine, baisés trois fois : une fois au bas de l'épine du dos, ensuite sur le nombril et enfin sur la bouche.

(1) Depuis 1295

Et après avoir offensé la loi divine par de si abominables attentats et de si détestables pratiques, ils ne craignent pas d'offenser la loi humaine, en s'obligeant, par le vœu de leur profession, à se livrer entre eux à d'effroyables désordres".

L'accusation était, on le voit, d'une gravité extrême.

Il ne s'agissait pas d'un simple relâchement, sans doute excusable, de la dure discipline initiale mais d'une homosexualité sacrilège et rituelle, imposée à tous les initiés admis au cercle intérieur de l'Ordre.

Pourquoi ce gigantesque procès ?

Pourquoi Philippe le Bel voulut-il donc, à tout prix et par tous les moyens, détruire le si puissant Ordre du Temple ?

Il convergeait en fait deux motivations.

La première demeure évidente : le roi de France convoitait l'immense richesse du Temple. L'érosion monétaire existait déjà : on a même pu estimer qu'en dix années de règne, Philippe le Bel avait vu la monnaie française perdre la moitié de sa valeur.

Qui plus est, le souverain avait recouru à diverses reprises aux templiers pour contracter un emprunt important.

Les créanciers éliminés, la dette disparaîtrait donc d'elle-même !

Malheureusement pour Philippe le Bel, l'opération ne donnera pas, et de loin, les résultats escomptés par le souverain.

Chose curieuse, les hommes du roi, à l'aube fatidique de l'arrestation, ne trouveront dans les diverses commanderies que des fonds de roulements insignifiants — bien peu en rapport avec le volume imposant des échanges bancaires supervisés par le Temple.

Le roi en sera réduit à faire vendre les armes, les objets du culte, le mobilier, les instruments agricoles, les outils saisis dans les diverses commanderies et à transférer la perception des revenus immobiliers gérés par le Temple.

Mais il y avait, sans nul doute, chez le souverain, une autre motivation évidente.

Non seulement l'Ordre du Temple échappait en grande partie à la juridiction royale, mais c'était, en fait, une puissance internationale.

Et, Philippe le Bel craignait donc, sans nul doute, de voir son pouvoir risquer de diminuer sans cesse davantage face à la croissance de la puissance templière.

Un évident mystère réside dans la facilité même de l'exécution des ordres royaux : que, dans les diverses commanderies françaises, les chevaliers se soient laissés arrêter sans opposer la moindre résistance et conduire dans les prisons d'état.

Se croyaient-ils tellement puissants que leur condamnation s'avèrerait en fin de compte impossible ?

Furent-ils tout simplement fidèles à leur dur serment de ne pas combattre, quoiqu'il arrivât, contre des chétiens ?

Furent-ils délibérément sacrifiés par l'instance supérieure de l'Ordre ?

Cette possibilité terrible devrait être envisagée.

L'opération policière, quoi qu'il en soit, sera méthodiquement menée.

Rien qu'à Paris, 666 templiers seront interrogés sans ménagement, dès les premiers jours.

Mais seul le souverain pontife pouvait réaliser la perfection définitive (façon de parler) de l'œuvre satanique

On n'hésitera pas à l'emploi systématique de la torture ; et pour faire un exemple, 54 chevaliers seront brûlés vifs à Paris le 13 mai 1310.

souhaitée par Philippe le Bel : décréter l'ultime dissolution de l'Ordre du Temple, le rayer purement et simplement de la scène.

Clément V refusera longuement de jouer le jeu ; mais l'été 1308, à la suite de son interrogatoire personnel à Poitiers de 72 templiers, cette attitude papale changera du tout au tout.

En 1312, la bulle *Vox Clamantis* prononcera donc la dissolution sans recours de l'Ordre du Temple.

Clément V avait-il été sincère dans le dit revirement ?

N'aurait-il fini que par céder à l'intimidation royale ?

Nous sommes alors, ne l'oublions pas, à l'époque des premiers Papes d'Avignon, pratiquement vassaux du Roi de France.

Et Philippe le Bel — qui rappelons-le, n'avait pas hésité à faire souffleter par Guillaume de NOGARET, le vénérable Boniface VIII, prédécesseur de Clément V — n'aurait sûrement pas hésité, en cas de résistance obstinée du pape, à faire réunir spécialement un concile de cardinaux tous à sa dévotion qui auraient déposé Clément V pour le remplacer par un pontife plus souple envers le roi de France.

On sait le point culminant (si l'on peut dire) du procès du Temple : le sinistre double bûcher parisien, le 18 mars 1314, de Jacques de MOLAY et de ses trois compagnons (dont Geoffroy de Charnay) dans l'île aux Juifs — à l'emplacement exact latéral au Pont Neuf, où se trouve aujourd'hui, à Paris, l'actuelle statue du roi Henri IV.

Ces quatre hommes furent brûlés vifs comme *relaps* (comme on disait alors).

Ils avaient d'abord, faiblissant finalement face à la torture, "avoué" ce dont l'Ordre était accusé.

Mais, fièrement, ils avaient ensuite osé, s'adressant à haute voix aux assistants, rétracter ces accusations infâmes.

Jacques de MOLAY, signant donc sa perte, tiendra ce fier discours public : "Tout ce que l'on vient de lire des crimes et de l'immoralité des templiers n'est qu'une horrible calomnie. La règle de l'Ordre est pure, équitable et catholique. Toutefois, j'ai mérité la mort et m'offre à souffrir sans révolte, en expiation des aveux que j'ai faits sous les tourments, et séduit par les cajoleries du Pape et du Roi de France. Je n'ai plus que ce moyen d'obtenir la pitié des hommes et la miséricorde de Dieu (...) je vais maintenant mourrir et Dieu sait que c'est à tort !

Il arrivera bientôt malheur à ceux qui me condamnent sans justice. Pour vous, Seigneur, tournez moi, je vous prie, le visage vers la Vierge Marie, mère de Jésus Christ".

Les gens du peuple qui assistaient au supplice, considérant les condamnés comme des martyrs, se disputeront les morceaux de leurs vêtements comme des reliques.

Philippe le Bel et Clément V mourront tous les deux dans l'année même...

TRESORS, ENIGMES, SECRETS.

Qu'en est-il du fameux *trésor des templiers* ?

Ne s'agirait-il en fait que d'un mythe populaire ?

Le problème se poserait en fait à deux niveaux.

Tout d'abord, celui de chacune des si nombreuses commanderies templières.

Chacune d'elles avait sa cache secrète, plus ou moins importante suivant le volume de l'établissement.

Or les templiers ne cessaient de faire circuler d'importants fonds bancaires. Tout laisse supposer que, des "fuites" s'étant sans nul doute produites au sommet, des instructions avaient pu être subrepticement données à temps pour faire mettre en lieu sûr, dans leurs vraies caches respectives, tous les fonds (en espèces sonnantes et trébuchantes, ne l'oublions pas) dans chacune des commanderies.

C'est la raison pour laquelle les hommes du roi ne trouveront sur place que des fonds insignifiants.

Jeanne de GRAZZIA avait pu décrypter les divers signes secrets indiquant, pour chaque commanderie, l'emplacement de la vraie cache secrète.

Celle-ci se trouvait fort bien gardée avec même volontiers — pour les cachettes les plus importantes — un piège redoutable (comme par exemple une dalle pivotante, laissant certes pénétrer l'intrus mais ne le laissant ensuite pas ressortir, puisqu'il ignorait le sésame (1).

Mais, si chacune des commanderies possédait sa propre cachette de fonds, n'y aurait-il pas existé, dans l'Ordre du Temple, un trésor majeur, leurs possessions les plus chères en fait qui serait donc — le trésor (sous-entendu : principal, essentiel) des templiers ?

Dans sa déposition à Poitiers, fin juin 1308, Jean de Chalon déclarera avoir vu, la veille du 12 octobre 1307, trois chariots chargés de paille quitter la vaste forteresse parisienne du Temple (siège central de l'Ordre) à la tombée de la nuit. Leur charge devait, disait-il, être embarquée à bord de 18 navires, quittant le port de la Rochelle.

Une dissonance se décèle tout de suite dans ce récit : même en tenant compte des dimensions bien modestes encore des nefs de l'époque, cela semble tout à fait absurde d'imagi-

---

(1) J. de Grazzia, *Le Puits des Templiers* (Paris, Le Masque, 1961).

ner qu'il en ait fallu pas moins de 18 pour y transférer la contenance de trois charrettes.

Pourquoi un tel décalage absurde ?

Pour donner le change ?
Quant à ces navires, que sont-ils devenus ?
On ne devait plus jamais en entendre parler !
Même s'ils avaient été tous pris soudainement dans une terrible tempête, il y en aurait bien eu un ou deux à s'en tirer quand même...

Cette histoire de charrettes et de nefs ne serait-elle pas un leurre, destiné à détourner l'attention du véritable lieu vers lequel se trouvait transporté le trésor du Temple ?

A Paris, l'altière forteresse du Temple était véritablement siège central, cœur et cerveau de l'Ordre.

Ne nous serait-il pas loisible de supposer que c'est soit dans les souterrains de celle-ci, soit dans une cachette sise dans le quartier avoisinant que reposerait ce fabuleux trésor ?

Dans le vieux Paris, des traditions orales y ont d'ailleurs toujours trait.

Gérard de Sède, lui, inclinerait à penser (1) que cet embarquement n'eut, en fait, pas lieu et que les précieuses caisses aboutirent dans la mystérieuse salle inconnue qui se trouve sous le donjon de Gisors — celle découverte par Roger LHOMOY en 1946, qui put y admirer alors non seulement 19 sarcophages, mais 30 coffres de métal.

Si l'on admet que l'embarquement subreptice eut bel et bien lieu, où auraient donc pu aboutir ces 18 navires, tous chargés à La Rochelle ?

En Angleterre, en Espagne ?... Ou, pourquoi pas, en Amérique — dont les templiers auraient connu la véritable route maritime — bien avant COLOMB.

---

(1) *Les Templiers sont parmi nous* (Juliard, réédité dans la collection "l'Aventure Mystérieuse").

Certains auteurs, dont le grand écrivain Jean de la VARENDE, n'hésitent pas à admettre cette possibilité fantastique.

Il demeure d'ailleurs quelque chose d'étrange : l'abondance des monnaies d'argent maniées par le Temple.

Or l'argent fut, durant le Moyen Age, un métal précieux fort rare en Europe.

Mais... il abonde au Mexique !

Il ne serait peut-être pas inutile de rappeler que les trois caravelles de Christophe COLOMB porteront sur leurs voiles la croix templière (1), et l'on peut donc fort bien concevoir que, loin d'être (comme on s'obstine sans cesse à nous le présenter) un rêveur qui croyait débarquer en Inde, le Génois connaissait déjà fort bien en fait la route secrète menant vers le Nouveau Monde, connue des templiers.

Mais continuons notre inventaire des lieux possibles assignables au trésor majeur du Temple.

L'Ordre avait été, on le sait, fondé à Jérusalem même, où demeurera son quartier général jusqu'à la reconquête musulmane.

Si le temple de Salomon avait été totalement détruit lors du sac de Jérusalem par les Romains (il n'en reste que le fameux mur des lamentations), il n'en était pas de même pour ses infrastructures souterraines.

Celles-ci subsistent toujours, sous la mosquée El AKSA (1).

Nul n'a le droit d'y pénétrer, sauf, — mais une seule fois l'an — le Grand Muphti de Jérusalem.

---

(1) En fait croix de l'Ordre du Christ dont Colomb fut dignitaire : croix pattée surchargée d'une croix blanche (NDLE).

(1) Bâtie par les Arabes sur l'emplacement même des ruines du Temple.

Un soldat anglais, lors de la prise de Jérusalem par les troupes d'Allenby, en 1917, avait réussi à jeter un coup d'œil sur le commencement de ces souterrains : il y remarqua ce qui semblait être une série de tombeaux.

Mais d'autres lieux prédestinés ont pu être invoqués. La cathédrale de Chartres, par exemple.

Mais il en demeure pourtant quelques autres, moins prestigieux.

Par exemple le château d'Arginy (département du Rhône), fief de la grande famille des Beaujeu.

Madame de GRAZZIA y situait la cachette majeure, magiquement protégée.

Chose curieuse, en 1950, un colonel anglais des services de renseignements, voulu pour le compte d'une société secrète (sans doute la si célèbre "Aube Dorée", *Golden Dawn*), acheter tout le domaine, pour cent millions des francs d'alors.

Louis CHARPENTIER, lui, penchait nettement (1) pour le site de la forêt d'Orient, à une vingtaine de kilomètres de TROYES.

Il s'y trouve un très complexe système d'étangs artificiels dont la motivation technologique s'avère inexplicable, à moins d'y voir une volonté raffinée de donner le change — tout en gardant le grand secret sous leurs eaux stagnantes.

Robert CHARROUX, d'après les archives du Club des Chercheurs de Trésor (2), incline pour une ancienne commanderie des Charentes.

Citons aussi le château-fort du Bézu, dans les Corbières (3), qui avait été citadelle cathare avant d'être utilisé par les templiers.

---

(1) *Les Mystères Templiers* (R. LAFFONT, collection Les énigmes de l'Univers).
(2) *Trésors du Monde* (FAYARD).
(3) Serre de Bec près le Pic de Bugarach, Aude, carte au 1/25 000 feuille 5-6 (NDLE).

Mais on penserait aussi également à l'ancienne commanderie de Valcroz, dans les Bouches-du-Rhône, où fut découvert un étrange parchemin, sur lequel Robert CHARROUX et Jimmy GUIEU penseront reconnaître le contour insolite d'un O.V.N.I. (objet volant non identifié) ayant forme de cigare.

L'Ordre du Temple aurait-il donc été en relation avec des extra-terrestres ?...

Evoquons également le site étrange dit de "l'île des Veilleurs", dans les gorges du Verdon (1).

Quant à Rennes le Château dont on a tant parlé, il s'agirait en fait d'un tout autre trésor légendaire : celui des Wisigoths (2).

Il ne faudrait pas identifier purement et simplement "Le trésor majeur" du Temple à de fabuleux amas d'argent en espèces sonnantes et trébuchantes ou à des lingots.

On peut fort bien leur supposer, aux templiers, la détention privilégiée préalable et impérative d'objets suprêmement *sacrés*.

Lesquels ?

L'Arche d'Alliance — contenant les Tables de la Loi que Moïse avait reçu de l'Eternel, sur le mont Sinaï ?

Le Saint Graal (1) ?

Le Chandelier d'or à sept branches ?

Les quatre Évangiles d'or qui ornaient le Saint Sépulcre ?

---

(1) Alfred WEYSEN, *L'île des Veilleurs* (Paris, éditions Arcadie... 1972)

(2) Gérard de SEDE, *Le Trésor Maudit de Rennes le Château* ("l'Aventure Mystérieuse", J'AI LU).

(1) Dans son poème *"Parzival"* Wolfram Von ESCHENBACH faisait dire à son héros par l'ermite "de vaillants chevaliers (ceux du Temple) ont leur demeure à Montsalvage (...). Tout ce dont ils se nourrissent leur vient d'une pierre précieuse qui, en son essence, est toute pureté. On l'appelle Lapis Exillis (...). Cette pierre donne à l'homme une telle vigueur que ses os et sa chair retrouvent leur jeunesse. Elle porte le nom de Graal".

L'index de la main droite de Saint Jean Baptiste, donné à l'Ordre par le roi Baudoin ?

On pourrait songer aussi aux annales et archives secrètes de l'Ordre, subitement disparues lors du procès.

Aussi à des livres cachés d'une antiquité fabuleuse, dont le LIBER M — qui ornera le tombeau de Christian ROSENKREUTZ.

L'Ordre du Temple — sous-entendu, cela va de soi, non pas la totalité des chevaliers mais un cercle intérieur restreint d'initiés — fut-il l'effectif dépositaire d'une gnose secrète ?

Il faudrait évoquer tout d'abord leurs rapports suivis en Terre Sainte (qui furent bien loin d'être toujours belliqueux, tant s'en faut) avec un Ordre chevaleresque musulman : celui des Assacis ou Assassins, dont le nom arabe signifiait en fait : "gardiens".

Comme les chevaliers du Temple, les assacis étaient, symboliquement et concrètement, "gardiens de la Terre Sainte".

Comme dans l'Ordre du Temple, le Grand Maître — appelé Vieux de la Montagne — devait être obéi aveuglément, quoiqu'il pût commander à ses chevaliers.

A ce propos, de ces deux chevaleries — chrétienne et musulmane — Victor-Emile MICHELET a écrit, dans son livre *"Le Secret de la Chevalerie"* (1) : "... L'une et l'autre sont construites sur les mêmes doctrines secrètes, sur un ésotérisme unique et invisible, qui sourd à travers le monde sur des voiles différents, comme la lumière unique, à travers le prisme, se décompose en rayons multicolores".

---

(1) Paris, Bosse 1928

Rappelons qu'à St Jean d'Acre, l'empereur d'Allemagne, Frédéric II de HONENSTAUFFEN, présidera bel et bien une table ronde secrète des Ordres de Chevalerie — tant chrétiens (Templiers, Hospitaliers, Teutoniques) que musulmans (Fatas sarrasins et Assacis), tous associés pour l'établissement dans le monde entier — sous un Grand Maître qui coifferait tous les Ordres — d'une religion universelle.

Outre le sceau bien connu de l'Ordre (les deux templiers montés sur un même cheval), il existait un sceau secret du Grand Maître — où l'on voit l'être fantastique, à tête de coq et queue formée de multiples serpents, figurant sur certains Abraxas (gemmes magiques) du gnosticisme chrétien des premiers siècles.

Autre point capital : l'existence d'une hiérarchie invisible : celle des secrets du Temple, doublant celle bien connue de tous.

Il y avait ainsi le Grand Maître en exercice (Jacques de MOLAY à l'époque du procès) et un autre Grand Maître, secret (qui n'était autre, lors du procès, que le duc Guillaume de BEAUJEU, prince du sang), aux pouvoirs autocratiques.

Les admissions dans l'Ordre du Temple, même celles du tout premier échelon, avaient toujours lieu en secret, à l'aube, toutes portes gardées.

Et les chevaliers n'avaient pas le droit de se confesser à tout autre ecclésiastique (quel que pût être son rang) qu'un chapelain de l'Ordre.

Vers 1780, l'évêque danois Friedrich MUNTER découvrira à Rome un manuscrit secret templier, en latin, donné comme rédigé par Roncelin de FOS, l'un des Grands Maîtres secrets.

La première partie, donnant la Règle commune (celle de St Bernard), avait été suivie de deux autres (*statuts secrets des frères élus* — Baptême de feu — ou *statuts secrets des frères consolés*), donnant les rituels complets à observer pour les deux degrés successifs d'un cercle intérieur, au recrutement très fermé.

Le manuscrit comportait même une quatrième partie, donnant les signes de reconnaissance entre initiés : elle fût malheureusement dérobée à MUNTER.

L'authenticité de ce manuscrit, qui finira par aboutir dans les archives de la Grande Loge de Hambourg, a été fortement contestée par nombre d'historiens.

Il faudrait pourtant avouer que la lecture en est troublante et révélatrice.

L'existence de documents templiers cachés à la majorité même des frères ordinaires ne semble nullement absurde.

Le 11 avril 1310, l'avocat Raoul de Presles ou de Pradelles déclarera avoir entendu parler le supérieur provincial du Temple pour Lyon déclarer : "qu'il y avait au chapitre général de l'Ordre, une Règle si stricte que si, pour son malheur, quelqu'un la voyait — fût-il roi de France — nulle crainte n'empêcherait ceux du Chapitre de le tuer à l'instant".

Voici aussi une parole révélatrice du templier Gaucerand de MONTPEZAT : "Nous avons trois articles que personne ne connaîtra jamais excepté Dieu, le Diable et les Maîtres".

Quels Maîtres ?

Les chevaliers parvenus au second grade, celui des *frères consolés* (cela fait tout de suite penser au *Consolamentum* des Cathares) ?

Citons deux des articles secrets des statuts de Roncelin : "Ayez dans vos Maisons (les commanderies) des lieux de réunions vastes et cachés auxquels on accèdera par des couloirs souterrains pour que les frères puissent se rendre aux réunions sans crainte d'être inquiétés" (art. 7).

"Il est interdit dans les Maisons où tous les frères ne sont pas élus, de travailler certaines matières par la science philosophique [le Cercle intérieur de l'Ordre du Temple aurait donc eu connaissance du secret de la transmutation des métaux] et donc de transmuter les métaux vils en or ou en argent. Ceci ne sera jamais entrepris que dans les lieux cachés et en secret" (art. 9).

D'autres articles sont révélateurs d'une volonté délibérée de passer au-delà de toutes les barrières dogmatiques : "Sachez que Dieu ne fait point de différence entre les personnes, Chrétiens, Sarrazins, Juifs, Grecs, Romains, Francs ou Bulgares, parce que tout homme qui prie est sauvé (document secret, 2eme partie, art. 5), l'Eglise Catholique n'est que la synagogue de l'anté-Christ [remarquer la nuance bien précisée : anté-Christ — qui précède donc celui-ci et non pas *antichrist*].

Mais les Elus, les frères admis au cercle intérieur, s'élèvent sur les hauteurs de la sagesse. Certains sont venus d'outremer, nourris de la manne divine et ayant des visions. Ils sont Saints (art. 10).

Nous vous annonçons un Dieu, qui était de toute éternité en Dieu, qui n'est jamais né, n'a jamais souffert, qui ne peut pas mourir [c'est donc, du point de vue théologique, l'hérésie gnostique appelée docétisme : celle consistant à n'admettre que la Nature divine du Christ], qui est omniscient, qui a animé l'âme du fils de Marie [lequel ne serait donc qu'un prophète inspiré] et qui a ainsi été dans le monde, que le monde n'a point connu, parce que les hommes charnels n'ont pas compris ce qu'est l'Esprit.

C'est l'Esprit de Dieu qui vivifie. La chair de Jésus ne peut servir à rien (1)".

(1) Article 20. Cela expliquerait le rite symbolique du reniement de la Croix.

Et voici sans doute la justification de la vénération toute spéciale des chevaliers du Temple pour la Vierge Marie : "Notre Dame est au commencement et à la fin de notre religion parce qu'elle existait avant que les montagnes et la terre fussent".

C'est la Nature éternelle, la Mère divine, préexistant à l'organisation du monde matériel.

Il est de fait que, si l'Ordre du Temple connut le procès que l'on sait, il demeure un point extrêmement troublant mais incontestable : les membres du grand chapitre — l'instance supérieure, le cercle intérieur de l'Ordre — ne furent pas inquiétés.

Et, incontestablement aussi, le secret des ordres royaux d'arrestation n'avait pas été intégralement gardé : c'est d'ailleurs pourquoi (il n'y a pas d'autre explication possible) les hommes du roi ne trouvèrent rien dans les commanderies ; les réserves monétaires, si considérables, avaient donc pu être mises à l'abri !

Mais un problème surgit immanquablement : les instances supérieures de l'Ordre, qui ne firent rien pour empêcher l'implacable déroulement du procès, auraient-elles — ce fut peut-être le cas — sacrifié délibérément toute la face visible de l'Ordre, par eux estimée devenue inutile ?...

On a beaucoup parlé d'une "idole" adorée en secret par les chevaliers du Temple, et qu'on appelait le *Baphomet*.

Elle se trouve décrite de diverses manières : une tête d'homme barbu — ou, au contraire, un chef de femme, — ou encore une figuration androgyne.

Cette dernière forme se comprendrait fort bien car visant à symboliser l'indissociable complémentarité des deux principes cosmiques : positif et négatif, masculin et féminin, bien et mal, etc...

Cela rejoindrait la signification précise du beaucéant, l'étendard templier mi-parti blanc et noir...

Ces images baphométiques auraient également servi comme instruments de divination.

L'effigie de la Vierge placée sur l'autel de la chapelle de chacune des commanderies était assez spéciale.

Il s'agissait d'un grand buste en granit, couvert recto et verso de signes astrologiques et alchimiques.

Du thorax de la Vierge surgissait le visage, entouré de rayons solaires, de Son Fils — mais pas celui d'un enfant, celui d'un adulte (1). Sur un crochet fixé au dos du buste s'accrochait une statuette (elle aussi couverte de signes) représentant un vieillard décharné, appelé *l'ancien des jours* (expression kabbalistique).

Ainsi se devinerait la vision templière de la Trinité : Mère (en activité comme la Shakti hindoue, par rapport au principe masculin passif) — Père (l'Absolu non manifesté donc) — Fils...

Et il y avait également aussi le Grand Dessein politique caché de l'Ordre du Temple, dont l'unité européenne puis méditerranéenne ne serait qu'une étape ; toutes les structures de la société humaine devaient être réorganisées, transformées...

Le procès et la dissolution papale tirèrent-elles un trait final — son destin inéluctable — sur l'Ordre du Temple ?

Ce dernier aurait-il été voué de ce fait, d'une manière inexorable, à demeurer sans postérité ?

A propos de l'aube fatidique du 13 octobre 1307, Roger Facon et Jean-Marie Parent font justement remarquer (2) : "On assiste alors à une véritable diaspora des membres restés libres. Certains frères entrent dans d'autres ordres militaires (Chevaliers Teutoniques, Porte-Glaive, Hospitaliers).

---

(1) Notons que les vierges Marie orthodoxes figurent sur les icônes tenant non pas l'enfant Jésus, mais un adulte Jésus ayant la taille d'un enfant (NDLE).

(2) *Gilles de Rais et Jacques Cœur* (Robert Laffont, les énigmes de l'Univers, 1986).

D'autres trouvent refuge dans les ordres religieux (Bénédictins, Cisterciens, Chartreux, Saint-Sépulcre).

D'autres rejoignent des ordres de création récente (Ordre du Christ, Ordre de Montessa).

D'autres entrent dans les confréries de métiers (1).

D'autres partent en Orient (Rhodes, Byzance).

D'autres, enfin, se réfugient dans des grottes ou des forêts et y vivent en petit groupe ou en ermites".

Il y aura même des templiers qui trouveront refuge dans une tribu de gitans, où ils introduiront leurs secrets (1).

Il y aurait lieu de faire une différence — car cela s'avèrerait capital — entre les chevaliers qui avaient pu accéder au cercle intérieur de l'Ordre, et ceux dont ce n'était pas du tout le cas : les premiers, seuls, pouvaient transmettre les secrets ; ou une partie d'entre eux, s'ils n'étaient pas parvenus au second niveau du cercle intérieur.

Y eut-il des survivances secrètes du Temple ? Ce n'est sûrement pas un simple pieux espoir. Dante *savait* sûrement, et pour cause, à quoi s'en tenir lorsqu'il écrivait ces trois vers :

"Tel qui voudrait parler mais doit se taire
Vois comme elle est nombreuse,
L'assemblée des Blancs Manteaux".

Evoquons aussi cet épisode de la mission de Jeanne d'Arc (1) : au sacre de Charles VII à Reims (1429), la Pucelle déployant dans la cathédrale l'étendard du Temple qui avait disparu lors du procès.

Nombreux seront les hommes, certains parmi les plus célèbres, qui se fascineront pour le destin du Temple.

---

(1) Où ils se trouvent réduits à l'état laïc.

(1) C'est d'un instructeur gitan que Jacques Breyer tenait les si complexes diagrammes géométriques templiers qu'il commentait dans les *Arcanes solaires* (Paris, La Colombe, 1950).

(1) Sur la soi-disant petite "bergère" (qui était en réalité princesse royale), voir le livre de Pierre de SERMOISE : *Les missions secrètes de la Pucelle* (Robert Laffont).

Ce fut le cas de Napoléon, qui avait profité de la prise de Rome pour faire saisir au Vatican toutes les pièces du procès des templiers, afin de les étudier à loisir avant de les restituer après le Concordat.

Et qui, lors d'une messe solennelle célébrée en mars 1808 en l'Eglise Saint-Paul de Paris à la mémoire de Jacques de Molay (cérémonie organisée par une résurgence templière : celle de Fabre-Palaprat), s'y fera représenter par une importante délégation de généraux et d'officiers supérieurs.

Même un Adolf Hitler sera faciné par le tragique destin des chevaliers au blanc manteau : n'adhèrera-t-il pas, dans sa jeunesse autrichienne, à un Ordre Templier fondé par Adolf Joseph Lanz Von Lisbenfels ?

Mais, en fait, dans le domaine politique, les idéologies les plus opposées se réclameront de la filiation templière.

La première Commune Insurrectionnelle de Paris (celle de la journée du 10 août 1792) fera enfermer Louis Capet et sa famille dans la tour du Temple (1).

Etait-ce par hasard ? Sûrement pas !

Mais, ironie du sort, parmi les aristocrates massacrés en septembre 1792, il y aura le Duc de Cossé-Brissac, Grand Maître d'un Ordre templier.

Evidemment, il ne faudrait pas manquer non plus de toucher au problème, si controversé, de la filiation entre Temple et Franc-Maçonnerie.

Serait-ce pure fable, codifiée au 18eme siècle dans le trop beau *discours* du chevalier écossais Michel de Ramsay ?

Il semble bel et bien que non. Comment expliquer, autrement, qu'au symbolisme opératif initial des outils de construction se soit ajouté celui, chevaleresque, des glaives, des épées ?

---

(1) Louis XVI était le dernier chaînon de la dynastie capétienne, celle de Philippe le Bel.

Les chevaliers du Temple avaient été bel et bien les protecteurs patentés des corporations de constructeurs (les maçons *opératifs* et certains de ceux-ci y avaient (répétons-le) — trouvé refuge (1).

(1) Paul NAUDON, *Les Origines religieuses et corporatives de la Franc-Maçonnerie (Paris, Dervy-livres).*

CONTINENTS LEGENDAIRES
ATLANTIDE — HYPERBOREE
LEMURIE — MU

I — INTRODUCTION ET PERSPECTIVES GENERALES

Alors que l'archéologie et l'histoire scientifique ne font remonter la civilisation qu'aux alentours de 6000 années avant l'ère chrétienne, en Mésopotamie plus précisément ("l'histoire commence à Sumer" proclamait le titre d'un livre célèbre) — pourrait-on aller plus haut dans le temps ?

Le départ de l'*histoire* proprement dite se trouve lié à l'apparition des premières cités (avec connaissance donc, de l'architecture) et à celle de l'écriture.

Avant, s'étend l'interminable période de la préhistoire, marquée par une série de progrès technologiques liés à ceux de la société.

D'abord l'immense âge de la pierre taillée, suivi de l'ère, bien moins longue, de la pierre polie.

Puis c'est une période de transition : la protohistoire, aboutissant finalement à l'âge des métaux : le bronze, puis le fer (à propos, ce dernier fut-il vraiment d'apparition si tardive ?... Le fer rouille, pas le bronze.

Surgissent pourtant déjà problèmes non conformistes, recherches et hypothèses en marge de l'archéologie officielle.

Nous pourrions citer divers "dossiers" troublants.

Celui tout d'abord des monuments (menhirs, dolmens, cromlechs) appelés *mégalithes* (d'un mot grec signifiant tout simplement : "grandes pierres" ou encore "pierres druidiques", malgré que leur érection ait été bien antérieur à l'arrivée des Celtes en Europe — et même si ceux-ci les conservèrent avec vénération comme lieux sacrés.

Dans le Nord et à l'Ouest de l'Europe, on compte une cinquantaine de mille de mégalithes. Mais il en existe en bien d'autres lieux, et pas simplement en Europe.

Ce serait une erreur de considérer les mégalithes, avec leur allure massive et si fruste, comme révélant l'activité de populations bien peu évoluées encore.

Prenez des exemples célèbres comme les alignements de Carnac ou comme l'imposant site de Stonehenge (au sud-ouest de l'Angleterre) : la disposition des blocs révèle une connaissance très précise par rapport au soleil, aux nœuds clefs de la marche annuelle de celui-ci (les solstices tout spécialement).

Autre domaine — qui touche, lui, franchement à "l'hérésie" par rapport à l'archéologie officielle — : les trouvailles énigmatiques bien antérieures à l'époque des Sumériens.

On devrait citer : les fameuses tablettes de Glozel ; les caractères cunéiformes primitifs découverts par Robert Ganzo (1) dans une petite grotte de Milly-la-Forêt ; l'énigme que posent de vastes ensembles de rochers *sculptés* comme ceux de la "culture Masma", au Pérou (étudiée par Daniel Ruzo) ou comme ceux qui se trouvent au cœur de la forêt de Fontainebleau.

---

(1) Auteur du livre significatif : *L'HISTOIRE AVANT SUMER.*

A propos de ceux-ci on parle, certes, de formations géologiques naturelles ; mais celles-ci n'auraient-elles pas pu se trouver, ensuite, accentuées délibérément par la main de l'homme ?

Certains même des dits rochers ne peuvent qu'avoir été bel et bien sculptés.

Songeons à l'ours placé exactement au centre des gorges de Franchard (il regarde — sûrement pas par hasard — en direction de l'étoile polaire), à l'éléphant de Barbizon, etc...

On tend à faire remonter de plus en plus loin l'apparition des premiers hominiens (en Afrique généralement), très antérieurs à l'apparition du feu.

Mais, précisons-le bien, une fois pour toutes, les problèmes des continents dits légendaires, qui va nous occuper tout spécialement, se situe, lui, en opposition directe à la vision évolutionniste d'un progrès linéaire — qui aurait à travers d'interminables millénaires, mené l'humanité d'une espèce d'homme-singe primordial (1) à l'être intelligent et civilisé.

La perspective traditionnelle se caractérise, elle, par la notion de *cycle*. Plus exactement, un cycle complet comprend quatre âges (d'or, d'argent, d'airin et de fer) qui — au fur et à mesure que s'accentue le processus d'involution — seront de moins en moins longs.

Ainsi s'expliquerait le phénomène si frappant dit de l'accélération du temps (et donc de l'histoire) en fin de cycle.

Après la fin apocalyptique de l'âge de fer (ou âge noir, *Kali yuga* dans la terminologie hindoue) débuterait le nouvel âge d'or. Souhaitons-le !

---

(1) Le fameux *chainon manquant* des antropologues.

Evoquons aussi, pour mémoire, la vision que Jules Verne développait dans sa toute dernière œuvre (rédigée quelques mois avant sa mort, elle sera publiée après celle-ci : la longue nouvelle intitulée *l'Eternel Adam*.

Lorsque la civilisation atteint son apogée matérielle, il se produirait, selon lui, un grand cataclysme (effet sans doute du subit basculement des pôles), qui ferait périr l'immense majorité des humains.

Quant à la poignée des survivants, leurs descendants oublieraient vite, au bout seulement de trois ou quatre générations, tout l'acquis technique — si bien que l'humanité se trouverait, chaque fois, obligée de repartir à zéro, au stade de la préhistoire.

Il est une conception que les savants contemporains se refusent par principe à admettre : celle suivant laquelle l'homme déjà civilisé aurait pu être témoin de gigantesques cataclysmes, il y a des millions, voire des centaines de millions d'années...

Une telle vision semble le comble de l'absurdité, vue dans les perspectives de la science rationaliste.

Ce serait sans doute le moment d'évoquer la théorie d'Hoerbiger.

Selon elle, il y aurait eu une variation cyclique du niveau des océans à mesure que se succédaient les lunes, capturées tour à tour par l'attraction terrestre du lointain espace et se rapprochant chacune, de plus en plus, du sol terrestre.

On aura remarqué que (sans mentionner son nom, à cause évidemment des idées politiques, racistes et d'extrême-droite, du personnage, l'un des maîtres à penser d'Adolf Hitler), les astronomes tendent à reprendre en sous-main la théorie d'Hoerbiger sur les lunes successives.

Et aussi que, paradoxalement, l'analyse des pierres ramenées de la lune par les cosmonautes en 1969 avait prouvé que notre satellite semblait bel et bien être... plus ancien que la terre !

Mais l'existence de cataclysmes géologiques de très grande ampleur (à l'échelle de tout un continent) à l'époque déjà historique, la science rationaliste la nie avec tout autant de force : ils n'auraient existé, selon elle, qu'aux époques où l'homme n'avait pas encore fait sa timide apparition sur notre planète.

On se souvient de l'indignation qu'avait succitée en 1950 le livre d'Emmanuel Vélikowsky : *"Mondes en collision"*.

Des universités américaines avaient même puisé dans leurs deniers pour faire acheter le maximum d'exemplaires, afin de les détruire !

II — TROIS GRANDS PROBLEMES PARALLELES A CELUI DES CONTINENTS LEGENDAIRES

1 — LES GEANTS

Légendes et récits traditionnels décrivent les géants qui auraient vécu à l'époque antédiluvienne, ou même subsisté plus tard. Les spéculations d'Hoerbiger et de ses disciples leur font écho.

La lune de l'ère tertiaire (devançant allègrement notre bonne lune quaternaire) tournait à une bonne distance de cinq rayons terrestres environ (au lieu des 60 rayons de notre 20eme siècle).

Cela avait pour effet d'alléger considérablement la gravitation terrestre : les géants, malgré leurs trois ou quatre mètres de haut, pesaient donc moins lourd, exécutaient facilement les diverses tâches matérielles.

L'océan montait à 2000 mètres plus haut, ou davantage encore, par rapport aux rivages actuels.

Après la chute de notre satellite, brusque changement de la pesanteur, avec l'avantage passant alors aux hommes de taille plus modeste.

Suivant Hoerbiger, il y aurait eu cinq grandes régions (1), à la fin du tertiaire, qui auraient abrité la civilisation des géants.

Malgré les si nombreuses légendes, que l'on trouve un peu partout un exemple : les Pyrénées auraient été peuplées de géants il y a 300 000 ans), les savants se montrent très septiques au sujet de l'existence des populations de géants.

Le gigantisme n'aurait été, d'après eux, même dans les temps les plus lointains, qu'un phénomène tout à fait exceptionnel et marginal.

Il est vrai que, reconnaissons-le, les preuves archéologiques qui attesteraient sans recours l'existence des géants avant le Déluge font singulièrement défaut.

L'existence de monuments gigantesques *cyclopéens* comme on dit parfois) n'est nullement décisive.

Assurément, il y a toute la fantastique fascination suscitée par les édifices gigantesques de TIAHUANACO ou (davantage encore) par les fameuses statues géantes de l'île de Pâques.

---

(1) Dont le Thibet et l'actuelle région du lac TITICACA dans les Andes (avec la mystérieuse cité de TIAHUANACO)

Mais n'avons-nous pas la preuve que la cathédrale de Strasbourg comme la Grande Pyramide — exemples types de monuments gigantesques — furent édifiés par des humains de taille normale ?

Rappelons aussi qu'il existe en Egypte une statue colossale de RAMSES II, d'une douzaine de mètres de haut (battant donc tous les records de hauteur des statues de l'île de Pâques), mais que ce célèbre pharaon avait (sa momie l'atteste) une taille tout-à-fait normale !

2 — LE PROBLEME D'EVENTUELLES CIVILISATIONS EXTRA-TERRESTRES

Nous touchons là un thème prodigieusement relancé (on le sait) par la science-fiction.

Serait-ce pure imagination ?

Il existe toute une immense bibliothèque sur le sujet.

Citons seulement les livres classiques de Jimmy GUIEU, Jean-Claude BOURRET, Guy TARADE, VON DANIKEN, etc... sur les fameux OVNIS (Objets Volants Non Identifiés), vus et signalés un peu partout.

Au surplus, n'aurait-on pas repéré des ruines gigantesques sur la Lune et sur Mars (des clichés de la NASA semblent bel et bien montrer une pyramide à degrés, aussi une sorte de sphinx gigantesque...) ?

Serait-il possible de déceler les traces éventuelles d'interventions extra-terrestres sur notre Terre ?

Le savant soviétique Mateste AGREST, Jean SENDY, Robert CHARROUX (explication de certaines des figures du manuscrit maya *CODEX TROJANO* l'ont cru.

Pour mémoire, citons l'idée fantastique soutenue par le mouvement RAELIEN, et suivant laquelle notre humanité aurait été en fait fabriquée en laboratoire par de grands civilisateurs, à la technologie prodigieusement avancée, et qui seraient les ELOHIM de la GENESE.

Mais, après tout, la forme humaine ne pourrait-elle se révéler comme l'une des plus anciennes dans le cosmos ?

3 — DES CIVILISATIONS A L'INTERIEUR DE LA TERRE ?

La Terre serait-elle creuse, occupée par une gigantesque cavité centrale ?

Après Jules VERNE (1), Raymond BERNARD (un Canadien à ne pas confondre avec Raymond BERNARD, ancien Grand Maître de l'Ordre de la Rose Croix AMORC pour les pays de langue française) l'affirme (2).

Les soucoupes volantes viendraient-elles de l'intérieur de la Terre ?

Il faudrait évoquer à ce sujet les mystères du Mont Shasta en Californie, ceux aussi — bien plus fréquemment évoqués — du Triangle des Bermudes (3) dans la Mer des Caraïbes.

---

(1) Relire son *Voyage au Centre de la Terre*

(2) Raymond BERNARD, *La Terre creuse* (Albin Michel, collection "Les chemins de l'impossible").

(3) Cf. Les ouvrages de Charles BERLITZ.

III — LIGNES DIRECTRICES DE NOTRE ENQUETE

Précisons bien qu'elle se limite aux êtres humains de chair et d'os, comme nous autres.

Laissons de côté (elles n'auraient d'ailleurs pu laisser la moindre preuve *matérielle* de leur existence ! le problème d'éventuelles races éthériques, fluidiques, astrales (au sens occulte du terme) qui auraient — du moins s'il faut en croire les traditions reprises par H.-P. BLAVATSKY et Rudolf STEINER — précédé les humains dotés d'un corps matériel.

Il s'agira donc toujours, dans notre enquête qui rentre dans le domaine de ce que le *Matin des Magiciens* et la revue *Planète* dénommaient "réalisme fantastique", d'êtres humains conformés comme nous, composés également (autre précision) d'hommes et de femmes avec séparation physique des sexes.

L'androgynat primordial des mythologies se situe sur un *autre* plan — supra-matériel — que celui de l'existence physique.

Ce qui n'exclut certes pas l'existence de civilisations où les rapports entre les sexes aient pu connaître diverses variantes.

Evoquons par exemple le problème, si cher à certains ethnologues, du matriarcat primordial, c'est-à-dire l'existence de sociétés où la domination appartient au sexe féminin.

Cela nous ferait aussi retrouver, pour ne citer que la mythologie grecque, la légende si célèbre des Amazones, ces redoutables guerrières.

Contrairement à ce que proclament volontiers les rationalistes (qui voient rouge dès que le mot ATLANTE parvient à leurs oreilles), on ne se trouverait point du tout devant un vide complet, mais, il faut évidemment reconnaître que nous sommes ici dans le périlleux domaine dit des "marges, des frontières" de la science.

Il y a d'abord divers sites et monuments bien connus, mais sur lesquels l'archéologie disons "sage", celle qui a les pieds sur terre, soutient évidemment des points de vue bien différents de ceux des "francs-tireurs" de la recherche et des hypothèses fantastiques.

Citons : les fameuses statues de l'île de Pâques, les pyramides de l'Egypte et celles de l'Amérique Latine, les ruines gigantesques de TIAHUANACO au nord de la Bolivie, etc...

Mais il y a aussi les sites franchement énigmatiques, qui iraient de ceux bien consistants mais dont on parle peu (par exemple les énigmatiques et si vastes ruines cyclopéennes de Ponapé dans les îles Carolines), à ceux sur lesquels s'est abattu un black-out officiel inflexible et sans faille.

Voyez la découverte, au large des Bermudes, d'une large muraille cyclopéenne engloutie, dont les blocs ne pourraient manifestement pas être nés des formations naturelles, ni se révéler structures d'origine animale.

Cette trouvaille, réalisée par Nicolas REBYKOFF et son équipe de plongeurs, fit certes beaucoup parler d'elle en 1971-72 ; on n'en a hélas plus guère parlé.

Pourquoi donc un tel mutisme subit ?

D'autres découvertes se sont-elles trouvées totalement étouffées elles aussi dès le départ ?

Par exemple, cette trouvaille fortuite en 1960, sous une base américaine du continent Antarctique : en dessous de l'énorme couche de glace, surgissaient les vestiges d'un très ancien dallage.

Arriva tout de suite l'instruction impérative de ne pas ébruiter cette découverte !

Il existe aussi, n'hésitons pas à le dire, des découvertes qui auraient (reconnaissons-le) de quoi rendre fou un archéologue : des vestiges, voire des objets entiers trouvés au sein de structures minérales d'une ancienneté fabuleuse, allant même jusqu'à plusieurs centaines de millions d'années !

On ne parlera évidemment jamais des dites trouvailles dans les publications officielles d'archéologie ou de préhistoire !

Elles existent pourtant !

Vous en trouverez un premier inventaire (avec les références), non limitatif il faut le préciser, dans un volume sur les *faits énigmatiques* publié par les éditions du Reader's Digest.

Je vous renvoie aussi au passionnant petit ouvrage de notre regretté ami Jacques BERGIER : *Les Extra-Terrestres dans l'Histoire* (J'AI LU - Collection "L'AVENTURE MYSTERIEUSE").

Il y a aussi les témoignages et récits consacrés à l'histoire et au destin des continents dits légendaires ; le texte le plus célèbre serait évidemment, pour l'Atlantide, le récit du philosophe PLATON (il se trouve dans une division du *Timée*, et occupe aussi toute l'étendue du dialogue inachevé *Critias ou l'Alantide)*.

N'oublions pas les fascinantes traditions et légendes écrites, ou demeurées orales (dans cette seconde catégorie, rappelons celles sur les cités cachées des Andes, de l'Amazonie ou du Matto Grosso — qui obsédaient déjà les conquistadores et à la recherche desquelles se lanceront d'intrépides explorateurs modernes, comme le Colonel FAWCETT).

On pourrait encore (mais en sortant évidemment là de tout point de vue scientifique) faire intervenir les témoignages médiumniques ; ceux aussi — mais à condition de croire aux vies successives (c'est notre cas, avouons-le) — de sujets ayant eu, notamment au cours de rêves, ce qui pourrait sembler réminiscence d'une incarnation par eux vécue dans l'Atlantide ou dans un autre des continents dits légendaires.

Citons encore, dans une autre direction "médiumnique" de recherche, une étrange remarque de Denis SAURAT dans "*LA RELIGION DES GÉANTS*" — réédition J'AI LU (collection "l'Aventure Mystérieuse", p. 40-41), à propos des petites statuettes en bois d'hommes émaciés trouvées dans l'île de Pâques, qui feraient penser à de véritables *hommes-insectes* : Y-a-t-il eu des rois géants [nous retrouverions alors l'énigme, bien plus étudiée, des statues colossales] qui ont fait exprès de réduire à l'état d'insectes les hommes sur lesquels ils régnaient si facilement ?

Les terribles statues gigantesques de l'île de Pâques sont-elles les portraits des dieux-rois géants, implacables et féroces qui élevaient des hommes en essayant de les transformer en insectes pour exploiter ensuite les forces psychiques ainsi libérées ?

IV — NOTRE VOYAGE A TRAVERS LES CONTINENTS FABULEUX, LEGENDAIRES

Première étape : l'Atlantide.

C'est la plus connue des grandes terres légendaires.

Localisation classique : l'Atlantide serait le continent englouti, il y a de cela 9000 années, sous les eaux de l'Océan Atlantique (qui tirerait en fait son nom du dit continent englouti).

Le texte de Platon se fonde sur le témoignage du législateur athénien Solon, qui en avait écouté le récit de la bouche d'un prêtre égyptien de la ville sainte de SAIS (dans le delta du NIL).

Il s'avère facile de répondre à l'objection des géologues suivant laquelle l'effondrement de l'Atlantide se trouverait contredit par la théorie d'Alfred WEGENER (aujourd'hui communément admise) sur la *dérive des continents*.

Il suffit de constater le si net décalage entre l'emboîtage très rigoureux (à la manière d'un puzzle) des rivages brésiliens et de ceux d'Afrique et l'impossibilité, en revanche, d'effectuer le même raccordement pour les côtes nord-américaines et européennes.

Y aurait-il donc eu, là, un effondrement massif ?

Il s'avère facile aussi de répondre à l'argument des détracteurs suivant lequel les localisations si diverses (autres que l'emplacement platonicien) assignées elles aussi à l'Atlantide suffiraient — par cette "ubiquité" même du continent fabuleux — à faire considérer celui-ci comme très probablement imaginaire.

En fait, ces localisations diverses devraient être considérées comme correspondant aux *colonies* respectives fondées en diverses contrées par les Atlantes, et devenues autonomes lors de l'effondrement séïsmique de la mère patrie.

Passons donc en revue, tout à tour, les plus importantes et significatives de ces colonisations atlantes.

a : l'Egypte, avec le fascinant mystère des pyramides et du Sphinx.

La civilisation égyptienne plonge ses racines beaucoup plus haut dans le temps que le laisserait supposer la datation officielle.

Evoquons les fouilles soviétiques réalisées à TELL-EL-AMARNA (la cité d'AKHENATON) dans les années 50 et qui obligeaient à situer vers 40 000 ans avant J.C. une civilisation très évoluée déjà sur le plan technique (découverte de lentilles). Voir un article paru en 1954 dans la défunte revue française *CONSTELLATION*).

b : l'Amérique précolombienne (Mayas, Incas, etc...) et l'Amérique du Nord, là aussi, (monuments énigmatiques).

c : l'Asie Centrale, spécialement le Thibet.

d : les îles Canaries (rappelons le mystère de leurs autochtones : les Guanches, grands et blonds) et les Açores.

Vers les rivages opposés (américains), la muraille submergée des Bermudes.

En fait, existence de vestiges géologiques révélateurs aux deux extrémités (ouest et est) de l'actuel océan Atlantique !

e : la Méditerrannée orientale (Crète, Santorin, etc...).

f : l'Atlantide saharienne (1).

g : le Golfe de Guinée (évoquons l'étonnante connaissance dans la mythologie des Dogons, de l'existence d'un gros satellite obscur à l'étoile Sirius).

---

(1) Pierre BENOIT, dans son roman *l'Atlantide*, rendra populaire cette localisation.

Deuxième étape : l'Hyperborée.

Cet autre continent légendaire aurait occupé (comme son nom l'indique avec suffisamment de précision) les régions arctiques de notre globe.

L'Islande ("l'Ultime Thulé" des anciens), le Spitzberg, le Groënland, la Sibérie septentionale, etc... en seraient les vestiges géologiques.

Si certains auteurs considèrent l'Hyperborée comme ayant été en fait la partie septentionale de l'Atlantide, la plupart des auteurs traditionnels y verront un continent très antérieur en fait à l'Atlantide platonicienne, puisqu'il aurait été la toute première masse continentale à surgir des eaux, au tout début (correspondant donc à l'*Age d'Or* mythologique) du présent cycle de l'humanité.

Une tradition bien établie voit dans l'Hyperborée le berceau originel des Aryens, qui en seraient venus, avant de descendre vers l'Europe en vagues successives. Voir l'ouvrage classique (publié en traduction française chez DERVY-LIVRES) du philosophe indien contemporain B.-G. TILAK (1).

On sait comment cette thèse du berceau arctique primordial de la race aryenne se trouvera hélas reprise (avec l'utilisation idéologique que l'on sait) par les penseurs du National-Socialisme allemand. Cela n'entraîne pas ipso-facto la fausseté de la thèse !

Il ne faudrait naturellement pas omettre de nous poser aussi le problème posé par le pendant de l'Hyperborée, c'est-à-dire la région située aux antipodes australes : l'actuel

---

(1) Cf. Le livre de Christophe LEVALOIS *Le symbolisme du loup* (Milan, éditions Arché, 1986).

Continent Antarctique conçu comme le prolongement méridional de la Lémurie ou du continent de Mu, à moins qu'il ne nous le faille estimer être une formation à part de l'un de ces deux derniers.

Que penser alors des fameuses cartes de PIRI REIS, sur lesquelles le tracé des côtés du continent Antarctique, aujourd'hui totalement recouvert par les glaces, s'avère si totalement exact ?

Troisième étape : LA LEMURIE ET MU

Pour ce qui concerne ces deux autres continents fabuleux, les choses se compliquent car — si du moins nous croyons comprendre — ce nom de *Lémurie* pourrait désigner tour à tour trois masses continentales.

Tout d'abord, un immense continent, qui aurait occupé à peu près l'énorme superficie que les premières cartes modernes (1) assignaient à un hypothètique et si vaste continent austral.

Ensuite, deux masses continentales un peu moins gigantesques.

L'une : la *Lémurie* proprement dite, aurait occupé une partie de l'actuel Océan Indien (Madagascar, le sud de l'Inde, etc... en serait le vestige géologique).

L'autre, appelée parfois également *Lémurie* (d'où de faciles confusions), ou mieux sans doute (appelation révélée par les trois livres du colonel anglais James CHURCHWARD (1) : CONTINENT DE MU, et qui aurait occupé une grande partie de l'actuel Océan Pacifique.

---

(1) Celle des 16ème et 17ème siècle.

Les Carolines (dont l'une d'elles, Ponapé, possède l'un des plus mystérieux sites archéologiques maritimes du globe) et l'île de Pâques, avec ses colossales statues énigmatiques, en constitueraient les vestiges géologiques.

On a fréquemment tenté de ridiculiser les "rêveries" fantastiques sur les statues colossales de l'île de Pâques.

Pourtant, et sans qu'il soit nécessaire (sur ce point, nous rejoindrions même le point de vue des rationalistes) de faire appel à l'intervention de fort hypothétiques géants antédiluviens, il demeure indéniable que les dits monuments énigmatiques posent un fort troublant problème.

Même en supposant que l'île de Pâques ait été naguère très peuplée, on ne voit guère comment une telle accumulation de statues colossales sur une superficie si limitée ait été possible aux habitants.

La seule alternative consiste donc à postuler l'existence d'un très vaste bouleversement géologique, *à l'échelle d'un continent tout entier* : l'île de Pâques en serait un vestige.

Avec le problème des éventuels vestiges archéologiques du continent de MU, prend fin cette enquête sommaire, panorama général du problème des continents dits *LEGENDAIRES*.

---

(1) Edition française chez J'AI LU (collection l'Aventure Mystérieuse).

Fabulations ? Rêveries délirantes — ou, tout simplement — nostalgiques ?

Ne s'agirait-il pas, bien plutôt, de vérités traditionnelles — que la science se trouvera finalement obligée d'admettre ?

Nous n'hésitons pas, pour notre part, à l'affirmer.

LES PLATONICIENS DE CAMBRIDGE

L'école de CAMBRIDGE

Au point de départ même de notre exposé, il conviendrait de préciser la nature toute relative en fait, et même (avouons-le), franchement artificielle de la désignation traditionnelle de l'école de Cambridge dans les manuels d'histoire de la philosophie, ou platoniciens de Cambridge : nom classique donné à une série de penseurs britanniques du 17eme siècle. Il ne s'agissait pas du tout (il faut y insister) d'une "école" philosophique au sens précis du terme, c'est-à-dire d'hommes ayant étroitement suivi une ligne idéologique précise, un système philosophique bien délimité, un corpus spécifique de doctrines et enseignements. Encore moins s'agirait-il — et bien que le principal représentant du "platonisme de Cambridge" : Henry MORE (Morus sous sa forme latinisée) ait incarné un jalon important dans les courants théosophiques du 17e siècle — d'une transmission, apanage d'une fraternité.

Nul des "platoniciens de Cambridge" ne fit partie d'une société initiatique rosicrucienne ou autre. L'appellation consacrée "école de Cambridge" vient tout simplement de ce que les représentants de ce courant philosophique furent des hommes qui enseignèrent à cette fameuse université anglaise de Cambridge, y suivirent une carrière à la fois universitaire et cléricale dans l'un ou l'autre de ses collèges réputés (tous ces hommes avaient reçu la prêtrise anglicane).

C'est en réaction spontanée contre la doctrine calviniste de la prédestination que se développera le courant chez Benjamin WHICHCOTE (1609-1687), tout d'abord, puis son élève John SMITH (1618-1652) et aussi chez d'autres universitaires, tous d'âge très voisin en fait.

Les deux plus célèbres seront Ralph CUDWORTH (1615-1688) et, Henry MORE (1614-1687), lequel retiendra tout spécialement notre attention car de tout le groupe, il sera le seul important pour ce domaine qui nous est cher : la théosophie chrétienne, précisons à nouveau — car c'est absolument nécessaire pour éviter un contre-sens — l'absence dans l'université de Cambridge au grand siècle d'une "école" philosophique au sens strict du terme : tout simplement, il s'agissait d'hommes enseignant dans des collèges cambridgiens et liés (qui plus est) par des liens d'amitié.

Leur mouvement débordera d'ailleurs le cadre de Cambridge pour toucher aussi des hommes hors de ce circuit spécial. C'est ainsi qu'Henry MORE aura deux fidèles amis auxquels il laissera même soin d'exposer à sa place certaines doctrines qui lui tenaient spécialement à cœur : Joseph GLANVILL (1636-1680), qui ironie du sort... était d'OXFORD, et Georges RUST (?-1670), futur évêque anglican de DROMORE, en IRLANDE.

Henry MORE entretiendra aussi des liens suivis avec le kabaliste chrétien François-Mercure VAN HELMONT (1618-1699), fils du célèbre médecin alchimiste Jean-Baptiste VAN HELMONT.

RAISON, CONNAISSANCE, TRADITION.

Mais comment tenter de cerner les traits généraux de ce que l'on appelle communément le "PLATONISME DE

CAMBRIDGE" ? Le mieux serait sans doute de partir l'ennemi philosophique contre lequel s'était dressé tout d'abord le mouvement.

Quel était-il donc ?

Essentiellement : la doctrine théologique calviniste (reprise sans nuance par les puritains anglais) de la prédestination, celle suivant laquelle l'élection ou la damnation d'un homme se trouverait inscrite au départ de toute éternité dans la prescience divine donnée une fois pour toutes.

Il ne s'agissait pas seulement d'une révolte instinctive contre l'effrayante perspective de l'existence d'êtres prédestinés de toute éternité à la damnation, mais aussi d'une réaction philosophique : celle d'hommes "raisonnables" contre une théorie jugée particulièrement irrationnelle.

On verra Henry MORE (la célébrité du groupe) s'élever non seulement contre cette prédestination calviniste, mais aussi contre la doctrine cartésienne (inspirée en fait de DUNS SCOT) d'un Dieu supérieur aux vérités éternelles, et créateur arbitraire de celles-ci, lesquelles eussent donc pu être toutes différentes de ce qu'elles sont.

Capitale chez nos "CAMBRIDGE MEN", leur volonté de promouvoir un christianisme "raisonnable".

Benjamin WHICHOTE (le premier d'entre eux) n'avait-il pas proclamé : *Reason is the divine gouvernor of man's life, the very voice of God,* (la raison est le divin gouverneur de la vie humaine, la voix même de Dieu) (1).

Mais le mieux ne serait-il pas de citer aussi un passage d'une remarquable précision de George RUST, fidèle disciple de MORE : *"By right reason, I understand that innate faculty of the man's soul, by which it discerns the reasons and mutual affections of things, and argues and concludes one thing from another".* (Par raison droite, j'entends cette faculté innée de

---

(1) DIVINE APHORISMS, 16

l'âme humaine, par laquelle celle-ci discerne les raisons et affections naturelles des choses, soutient et conclut d'une chose à l'autre) (2).

Mais cette ambition d'instaurer un "christianisme raisonnable" débouchait tout naturellemet sur des perspectives philosophiques retrouvant le fondement même du Platonisme.

En quoi donc ?

Du fait de l'innéité des idées générales, des principes fondamentaux de la connaissance.

C'est l'un des points capitaux développés en détail dans le volumineux Traité de Ralph CUDWORTH, l'autre représentant le plus notable du groupe (3). Selon lui, l'esprit humain contient des idées ou formes innées, à priori : s'appliquant aux images que transmettent les sens, elles convertissent celles-ci en connaissance discursive.

L'argumentation de MORE, dans son "ENCHIRIDION ETHICUM", plus cursive, est particulièrement ramassée. Il existe — nous dit-il — trois catégories de *"notions communes"*, idées innées qui, non réductibles à l'expérience sensible, ne peuvent être attribuées qu'à une activité spécifique de l'esprit lui-même. Ce sont, tout d'abord, les notions mathématiques (par exemple, l'idée de triangle). Il y a aussi les axiomes régissant les relations, tant mathématiques que logiques (comme les couples cause-effet, tout-partie, semblable-dissemblable, égalité-inégalité, etc...). Enfin les notions de bien et de mal sont, pour Henry MORE, immuables elles aussi.

De cette triple catégorie de concepts, nulle image ne peut être formée dans la conscience : ce sont des cadres nécessaires à toute connaissance. C'est déjà un language presque Kantien.

---

(2) DISCOURSE OF TRUTH (1655) page 25

(3) The True Intellectual System of the Universe (London, 1678).

Mais déboucher sur les perspectives platoniciennes, exalter — comme le fera H. MORE — une *"DIVINE SAGACITY"* mettant l'esprit humain à même de contempler intuitivement le VRAI, c'était retrouver en fait toute une tradition prestigieuse, pas seulement la pensée idéaliste proprement dite de Platon et aussi celle des néo-platoniciens et des hermétistes, mais une sagesse sacrée bien antérieure : par delà Hermès Trismégiste et Pythagore, celle même de l'immémoriale kabbale scripturaire de Moïse.

Dans sa préface à sa "CONJECTURA CABBALESTICA", H. MORE n'hésitait pas à décerner à Platon le qualificatif de "MOISE attique" (Moses atticus) : en fait, selon lui, la philosophie platonicienne rejoignait exactement la métaphysique des rabbins illuminés se réclamant du prophète des Hébreux.

More, persuadé de l'accord fondamental entre la philosophie juive traditionnelle et la Kabbala denudata, la révélation christique, collaborera avec le baron Christian KNORR VON ROSENROTH, grand ami de LEIBNIZ.

Dans la préface à ses "DIVIN DIALOGUES" H. MORE inscrira cette formule lapidaire : ... there is no purely mechanical phenomen in the whole universe... (il n'est pas dans l'univers un seul phénomène purement matériel).

On ne pourrait imaginer plus grande incompatibilité par rapport à la physique systématiquement mécaniste développée par DESCARTES. Mêmes perspectives chez CUDWORTH, avec sa théorie du médiateur plastique, puissance intermédiaire par le moyen de laquelle la Toute Puissance Divine deviendrait capable d'être active, présente dans toute la création matérielle.

Esquissons un tableau général du "Platonicien de Cambridge" pour nous pencher tout spécialement sur le plus notable des hommes ayant incarné ce courant spirituel : H. MORE, (MORUS sous sa forme latinisée) célèbre par sa longue controverse philosophique avec René DESCARTES (4) mais dont certaines théories caractéristiques mériteraient, elles aussi, une étude plus attentive. Avec lui, il est évident que le "Platonisme de Cambridge" part, (nous l'avons vu) d'une perspective rationnaliste (au sens large du terme) et aboutit à une vision franchement théosophique de la création.

Henry MORE, révélait lui-même — dans son vaste poème philosophique de jeunesse : Psychozora (la vie de l'âme), comme dans ses "Dialogues divins", un peu postérieurs, l'origine profonde (et très directe) de ses convictions.

Il n'hésite pas à se référer à ses expériences directes, y compris visions et rêves (par exemple le soi-disant rêve de "BATHYNOUS" — esprit profond —).

Ce n'est autre que MORUS lui-même, raconté en détail, dans les "Dialogues divins". C'est au cours de cette étrange expérience extatique que le jeune Henry MORE avait reçu ses deux devises personnelles de vie, tout à fait révélatrices de son choix spirituel : *Claude fenestras ut luceat domus* (fermez les fenêtres (celle des sens) pour que la maison (la demeure intérieure de l'âme) soit illuminée ; et *Amor dei, Lux animae* (Amour de Dieu, Lumière de l'âme).

LE PROBLEME DE L'ESPACE

On sait la définition newtonienne de l'espace, tout de suite assimilé à l'un des attributs même de Dieu : l'omniprésence totale.

Dans le "SCHOLIUM GENERALE" du Livre III de ses "Philosopiae naturalis principia mathematica"; Isaac

(4) Voir l'excellente édition par Geneviève LEWIS de la correspondance entre DESCARTES et MORUS (Paris, Librairie philosophique, J. VRIN).

NEWTON écrira : *Existendo semper et ubique, durationem et spaciem constituit* (en existant toujours et partout, (Dieu) constitue la durée et l'espace).

Cette théorie de NEWTON, que celui-ci chargera (attitude commode) son fidèle disciple CLARKE de défendre contre le grand LEIBNIZ, est bien connue. Mais John LOCKE fait connaître, en lien direct avec elle, l'opinion curieuse (son propre terme) de NEWTON : la matière n'a pu surgir au sein de l'immensité divine, elle même, parce que Dieu s'est retiré d'une partie de celle-ci.

Mais NEWTON n'avait nullement forgé de toutes pièces cette majestueuse théorie de l'espace divin. C'est à CAMBRIDGE même (où il enseignera à son tour) qu'il en avait trouvé la source directe. Ou donc ?

Chez Henry MORE, précisément.
Cette filiation a été fort bien mise en valeur dans un des chapitres de mon regretté directeur d'études à l'Ecole pratique des Hautes Etudes (Sciences religieuses, SORBONNE) Alexandre KOYRE : *From the closed world to the infinite univers (1).*

Comme le Dieu de NEWTON, celui d'Henry MORE était, lui aussi, présent en tout lieu et à tout instant (car le temps absolu, lui aussi, est éternel), l'espace comme la durée, absolus, manifestent bel et bien, en fait, l'omniprésence divine. Il existe toute une série d'attributs qui, comme nous le fait remarquer MORUS dans son "Enchiridion Metaphysicum" (2), sont communs en fait à Dieu et à l'espace infini : *Neque enim reale dun taxat (quod ultimo loco notabimus), sed divinum quiddam videbitur hoc extensum infinitum ac immobile (quod tam certo in reriem natura deprehenditur) postquam Divina illa Nomina vel Titubas qui examussim ipsi congrurent enumerarimus qui et ulteriorem fidem facient illud non posse*

---

(1) BALTIMORE, 1957

(2) Cap. VIII page 8

esse Nihil, utpote cui tot tamque proeclara Attributa competunt. Cujusmodi sund quae sequentur, quaeque Metaphysia Primo ante speciatem attribunt. Ut Unum, simplex, immobile, deternum, completum, independens, a se existans, per se subsitens, Incorruptibile, Necessarium, Immensum, Increatum, Incircumscriptum, Incomprehensibile, Omniapraesens, Incorporeum, Omnia permeans et complectens, Ens per Essentiam, Ens actu, Purus actrus.

Au point de départ d'une telle conclusion, on retrouverait évidemment l'expérience concrète, familière, bien connue : celle suivant laquelle, si on peut supprimer mentalement l'existence des innombrables objets qui remplissent l'espace infini, on ne peut faire de même pour celui-ci.

Il constitue bel et bien un cadre de référence nécessaire, absolu. En fin de compte, cet espace, immobile et immatériel, n'est autre que l'omniprésence concrète de l'Absolu "l'ombre de la Divinité" une expression de MORUS. Et celui-ci de nous faire remarquer une parfaite convergence de cette vérité d'expérience avec la tradition des rabbins kabalistiques sur la véritable nature métaphysique de l'espace.

L'opposition ne pouvait donc que se révéler totale entre cette théorie morienne de l'espace (pour laquelle tout ce qui existe est ipso facto étendu, même la Divinité) — et, niant l'espace absolu — celle de DESCARTES.

De celui-ci, rappelons un passage bien connu des Principes de la Philosophie (3) : "*Pour ce qui est du vide au sens que les philosophes prennent à ce mot, à savoir pour un espace ou du lieu intérieur n'est point différente de l'extension du corps*".

Pour Henry More, au contraire, seul existe ontologiquement le vide de matière : l'absence d'étendue serait, elle, rigoureusement impossible.

---

(3) II, 16

La controverse épistolaire entre DESCARTES et MORUS (4) sera un véritable dialogue de sourds, chacun des deux hommes restant inébranlable sur ses positions. Donnons seulement un passage de la toute première des lettres de MORUS à DESCARTES (la même argumentation demeurera chez lui identique et assurée d'un bout à l'autre) (5) :

"*Vous définissez la matière ou le corps d'une manière trop générale, car il semble que non seulement Dieu, mais les anges mêmes, et toute autre chose qui existe par soi-même, est une chose étendue*". Pour Henry MORE, un être non étendu serait de ce fait inexistant.

Le Platonicien s'efforcera d'expliquer la possibilité pour l'esprit d'agir sur la matière en faisant appel à une propriété spéciale, véritable quatrième dimension de l'espace : ce qu'il appelle "spissitude essentielle" (*essential spissitude*). C'est grâce à cette propriété que l'esprit peut - estime-t-il — se dilater ou se contracter, se raréfier ou se condenser. L'étendue est propriété commune à la matière et à l'esprit. Mais, alors que la matière se caractérise par l'impénétrabilité, l'esprit — bien qu'il soit lui aussi étendu comme la matière — est (à l'inverse de celle-ci) pénétrable. Si deux corps ne peuvent occuper en même temps le même lieu, les esprits, eux, le peuvent — et il est impossible, de surcroît, de les toucher.

Dans son traité sur l'immortalité de l'âme, H. MORE développera un ensemble de théories curieuses.

Contrairement, estime-t-il, à ce qu'enseigne le cartésianisme, les âmes — autrement elles seraient inexistantes —sont toujours étendues. L'âme de l'homme possède en fait trois véhicules, tous trois étendus :
terrestre, aérien (6), éthéré.

---

(4) Elle ira du 11/12/1648 (première lettre) au 21/10/1649.
(5) Edition G. LEWIS p. 101
(6) Ils correspondent au "corps astral", pour user du jargon des occulistes modernes.

Notons aussi une théorie morienne opposée à la théologie courante :
Suivant MORUS, toujours dans ce même curieux traité "*l'immortalité de l'âme, les anges de la théologie ne constituent pas des entités créées à part*". Selon lui, ils correspondent en fait à un état supérieur, celui que pourront atteindre les âmes humaines au terme de leur longue progression vers le Divin.

Autre étrange théorie de MORE, mais qui rejoindrait celle de son collègue cambridgien CUDWORTH sur le médiateur plastique : l'existence d'un "esprit de Nature" (sprit of Nature) — spirituel, certes, mais privé de consience et de liberté. Répandu partout dans la Nature, il contient les formes génératrices, vraies raisons séminales de tous les êtres. Remarquez évidemment ici une influence de la métaphysique stoïcienne.

La cosmogonie d'Henry MORE : ses "Axiomes Kabbalistiques". Il est, dans l'un des opuscules de MORUS sur la Kabbale judaïque (7), une série — seize au total — d'axiomes (c'est le mot par lui utilisé) qu'il vaut la peine de reproduire en détail, car ils donnent du processus de Création un exposé vraiment extraordinaire, d'une prodigieuse hardiesse métaphysique en fait. Rien d'étonnant à ce que MORUS, homme extrêmement prudent s'il en fût, les ait relégués dans un petit traité apparemment secondaire. Les voici donc, dans un extrait de l'original latin que nous faisons suivre d'une traduction :

1 — Ex nihilo nihil posse creare (rien ne peut être créé à partir de rien).

2 — Ac proinde nec Materiam creari posse (Et comme la Matière ne peut être créée).

---

(7) Fundamenta Philosophiae sive cabbalae Aëto-paedo-malissae Opera omnia, tome 1, p. 521.28

3 — Nec ob vilitatem naturae suae a se existere (Ni exister par soi, en raison de la bassesse de sa nature).

Cujus consectarium, aut Fondamentum potius sit, Nullam rem, vilem a se existere posse (d'où l'on tire la déduction, qui est plutôt un fondement, que nulle chose vile ne peut exister par soi).

4 — Nullam igitur Materiam esse in rerum natura (Il n'existe donc aucune matière dans la nature des choses).

5 — Quicquid vero est, Spiritum esse (Tout ce qui est vraiment est Esprit).

6 — Mais cet Esprit est increé et éternel, intelligent, sensible, vital, se mouvant par soi, infini dans l'Etendue et existant nécessairement par soi.

7 — Et, par conséquent, cet Esprit est l'essence divine.

8 — et aucune essence autre que Divine ne peut exister par soi

9 — comme à la vérité il n'existe aucune essence en dehors de celle-ci dans l'univers — en vertu des axiomes 1, 2, 3, 8 — et qu'il est clair qu'une chose provient de cette essence unique, par un acte de division — il est évident que l'essence divine peut se diviser.

10 — Puisque l'essence Divine existe vraiment, il existe d'innombrables particules individuelles, et qui peuvent s'étendre ou s'étaler en des cercles de puissance et d'étendue infinies.

11 — Et puisque les grains de sable particulier, les petits grains de pierres et les particules de l'air, de l'éther, etc..., sont des parties de cette essence divine, il est tout aussi évident que ces dernières peuvent se réunir et se resserrer en particules extrêmement ténues.

12 — De l'assemblage de ces particules est formé le monde qu'on appelle matériel, bien qu'il soit en réalité spirituel — formé assurément d'esprits ou particules divisées de

l'essence divine, contractées et ramassées en monades ou points physiques.

13 — Cette contradiction est l'état de sommeil ou d'engourdissement, pour ces particules divines, leur expansion l'état de réveil.

14 — Il y a différents degrés de réveil, à savoir dans la vie végétative, sensitive, rationnelle..., bien plus enfin se font le réveil et l'expansion dans un cercle d'amplitude et de puissance infinies, jusqu'à ce que cette parcelle divine ou cet esprit particulier puisse se construire un monde formé de terre, d'eau, d'air de ciel et d'autres parties.

15 — Et, par conséquent, cet esprit particulier peut — à partir, par exemple, de la fine poussière de marbre — devenir la plante, à partir de la plante l'animal, de l'animal l'homme, de l'homme l'ange, de l'ange, enfin, le Dieu créateur d'une nouvelle terre et d'un nouveau ciel.

16 — Et l'on peut dire de même à propos des particules individuelles de l'essence divine, qu'il est nécessaire qu'elles soient ou bien séparées en acte ou bien toutes séparables sans doute, ou encore qu'elles puissent être des Dieux Créateurs des terres et des Cieux. Ce qui cela même d'un enfant (8), par une nuit blanche dans les écoles, interrogé par moi sur le point de savoir s'il croyait à un Dieu unique, me répondit en souriant qu'il croyait à l'existence d'un grand nombre de dieux, distincts les uns des autres.

Ce texte est vraiment étonnant. On y aura remarqué non seulement une négation explicite, dès le tout début de la doctrine théologique courante de la création ex nihilo, mais des affirmations métaphysiques bien plus hardies encore par rapport à l'orthodoxie chrétienne occidentale — par exemple l'apparition de la matière par suite de la chute d'innombrables atomes spirituels ; l'existence, aussi, d'une pluralité

(8) Ici More se mettait en scène, évoquant une de ses réponses d'étudiant lors de "questions disputées" avec l'un de ses professeurs.

cosmique de Démiurges organisateurs de la matière. C'est, dirait-on avec humour, le Timée à la centième puissance... !

Ces affirmations étranges, Henry MORE ne les avait d'ailleurs nullement inventées. Leur source ? Chez l'un des docteurs modernes de la Kabbale judaïque : Isaac LURIA (9). C'est d'ailleurs chez celui-ci — et nous déboucherions à nouveau sur la théorie de l'espace infini si chère à MORUS — que l'on trouvait l'une des formulations traditionnelles de la doctrine du TSIMTSUM ("retrait"), "contraction", "concentration" de Dieu) rendant compte de la véritable pâture du processus créateur. Précison qu'Henry MORE lisait l'hébreu directement dans le texte, et que sa connaissance des spéculations kabbalistiques n'était donc pas de seconde main.

On n'aurait pas manqué non plus de découvrir dans les si curieux kabbalistiques de MORUS l'expression précise d'une monadologie. Que sont donc ces particules spirituelles, dont la "chute" aurait donné naissance à la matière ? H. MORE y reviendra dans son "Enchiridon Metaphysicum (10) :

Per physica Monadas intelligo particulas adeo minutas ut ulterius dividi non possint vel in portes discerpi. (*Par monades physiques, j'entends les particules tellement petites qu'on en peut pousser la division au-delà, ou les partager en parties*).

C'est en se contractant ou s'agglutinant que ces monades innombrables ont engendré la matière première de toutes choses. Henry MORE précise, toujours dans l'Enchi-

(9) Mort en 1572, CF l'ouvrage de G.G. SCHOLEM : les grands courants de la mystique juive.(S. LURIA) (PARIS, 1950).
(10) Chap. IX, S 3

riodon Metaphysicum (11) : *"Materiae vera primae natura satis distincte sit describi potest, minirum, Physicarum Monadum Corgeries homogeneaquae se invicem penetrare non possunt, nec suapte natura cohaerere, quereque ; quantumnis contiguae sint, sunt tanem actu solutae, et quamquam moveri quant, quiescentes sunt nihilominus vel immotae. Haec est distinctissa et verissima Descriptio Materiae primae antequam in conditionem Materiae quae dicidur, secundae transeat"*.

Wilhelm FEILCHENFELD voyait en cette théorie morienne des mondes, assimilés à des atomes spirituels, la source directe des conceptions de LEIBNIZ. Il n'hésitait donc pas à le dire : *"Dies e Sätze (die Monadem von MORUS) sind die Keimzelle von leibnizens Monadologie, die in dem Discours des Jarhes 1686 ans Licht trat (12)"*.

Revenus à la cosmogonie d'Henry MORE, dans ses "Divine Dialogues", on trouve d'autres axiomes qui développent une monadologie. Les voici :

2 — Le fil du temps et l'expansion de l'univers : la même main (de Dieu) tiré l'un et déployé l'autre.

5 — Tous les esprits intellectuels qui furent, sont ou ne seront jamais, naquirent avec la lumière, et se réjouissaient ensemble devant Dieu, au matin de la Création.

6 — En ces myriades infinies d'agents libres qui étaient tous auteurs de leur propre destin, c'eut été merveille s'ils avaient tous suivi la même voie, et, de cette manière, le péché, à la longue, serra la main de l'opacité.

Il ne faut pas oublier non plus qu'Henry MORE avait lu attentivement Jacob BOEHME, à la théosophie de laquelle il consacra un opuscule spécial :
"Philosophiae Teutonicae Censura" (13).

---

(11) Chap. LX, S 1
(12) Leibniz und H. MORE (Kantstudien, Bd XXVIII, Berlin 1923, p. 328
(13) Opera omniae, tome 1, p. 529-61

Chez BOEHME, il retrouvait la théorie suivant laquelle le monde où nous vivons s'est formé de débris d'une terre céleste détruite par la chute cosmique des anges révoltés : cela s'accordait fort bien aussi avec les vues de la Kabbale lurienne. Et MORUS de faire remarquer que l'œuvre divine a consisté en cette organisation d'une matière première engendrée par la chute des esprits angéliques rebelles. MORUS, dans la ligne d'une lecture très attentive de Jacob BOEHME, esquisse un parallèle entre les deux ternaires — celui de la Nature Universelle. D'où le tableau :

Supremiem Bonum	Trinitas
Aeternus Intellectus	purae
divina Anima	Deitatis
Anima Mundi	Trinitas
Spiritus Naturae	Universalis
Abyssus Physicarum Modanum	Naturae

A cette première chute, génératrice de la matière, succéda une seconde : celle des âmes, entrainant leur incarnation forcée dans des corps terrestres, aussi la séparation physique des sexes.

Rien d'étonnant non plus à ce qu'Henry MORE n'accepte nullement la doctrine de l'éternité des peines infernales. Il se veut résolument origéniste dans son eschatologie. S'il s'est montré lui-même prudent, n'osant pas s'en faire directement le porte-parole, on trouve l'expression directe de ses convictions dans l'ouvrage de son fidèle disciple Georges RUST :
"Lettre de résolution concernant Origène... (14).

---

(14) London, 1661, Edition critique par Marjorie H. NICOLSON, New-York 1933.

Que dire en fin de compte ???

Que, parmi les “Platoniciens de Cambridge”, il y eut une personnalité de premier plan : Henry MORE. Qu’un LEIBNIZ, qu’un NEWTON l’aient tous les deux lu constituant évidemment une double référence de poids pour l’historien des idées.

BIBLIOGRAPHIE

Emile BREHIER, *La philosophie et son passé, 2ème* édition, Paris, 1950.

Ernst CASSIRER, *Die platonische renaissance in England und die Schule von Cambridge,* Leipzig et Berlin, 1932.

Markus FIERZ, *Uber den Ursprung und Bedentung der lehre Isaac Newtons von ahshuten Raum,* ("Gesnerus", vol. 11, 1954, n° 3-4, p. 62-120).

Antoine FAIVRE, *Accès de l'ésotérisme occidental,* Paris, 1986.

Wilhem FEILCHENFELD, *Leibniz und Henry More,* ("Kantstuden", BI XXVIII, Berlin, 1923, p. 323-34).

Serge HUTIN, *Henry More. Essai sur les doctrines théosophiques chez les platoniciens de Cambridge,* Hildesheim, Georg Olms, Verlag, 1965.

Paul SANET, *Essai sur le médiateur plastique de Cudworth,* Paris, 1960.

Alexandre KOYRE, *From the closed world to the infinite universe.* Baltimore, 1957.

Henry MORE, *Opera omnia,* rééditées par Georg Olms Verlag, 1964, 3 vol.

Marjorie H. NICOLSON, *Conway letters, London, 1930, The breaking of the circle,* Evanston, 1950.

Gershom G. SCHOLEM, *Les grands courants de la mystique juive,* Traduction française, Paris, 1950.

Jean ZAFIROPOULO et Catherine MONOD, *Sensorium Dei,* Paris (Belles-Lettres), 1970.

Robert ZIMMERMANN, *Henry More und die vierte Dimension des Raumes,* Vienne, 1881, (Sitzungsberichte, Kaiserliete Akademie der Wissenschaften, phil. hist. Klasse, Bd, 98, P. 403-48).

Achevé d'imprimer Juin 1989
sur les presses de Coloroffset
Dépôt légal Juin 1989
imprimé en France

EDITIONS des MARAIS
Bon de commande

A retourner sur papier libre ou découper

Collection Ker-Ys - Editions des Marais
Adresse postale : 10, rue de la Délivrande
14740 Bretteville l'Orgueilleuse

☐ 6 numéros 500 francs français

à régler par :
☐ chèque bancaire ☐ C.C.P. ☐ autre formule (1)

Nom : (2) .... Prénom : (2) ....
Age : (3) ....
Profession : (3) ....
Adresse : (2) ....
....
....

Je, soussigné ....
☐ désire m'abonner aux Cahiers KER-YS (6 numéros parus ou à paraître), spécifiez les numéros que vous désirez recevoir 500 F.F.
☐ désire recevoir le n° 1 (Moi, Gilles de Rais) .... 110 F.F.
☐ désire recevoir le n° 2 (Le tombeau de Merlin) .... 110 F.F.
☐ désire recevoir le n° 3 (La Cité d'Ys) .... 110 F.F.
☐ désire recevoir le n° 4 (Le secret des Troubadours) .... 110 F.F.
☐ désire recevoir le n° 5 (Cathares ou Esseniens) .... 110 F.F.
☐ désire recevoir le n° 6 (Les trahisons des l'église contre les peuples .... 110 F.F.
☐ désire recevoir le n° 7 (Jeanne d'Arc et ses Judas) .... 110 F.F.
+ port par livre : .... 15 F.F.
soit F.F. à l'ordre des Editions des Marais
à .... le : .. /.. /198.

Signature (2 et 4) :

---

1. Biffer la mention exacte.
2. Mention obligatoire.
3. Mention facultative.
4. Signature obligatoire des parents pour les mineurs.